W9-BAX-799

PERGAMON OXFORD GERMAN SERIES

General Editors: W. D. HALLS and C. V. RUSSELL

ILSE AICHINGER

Selected Short Stories and Dialoge

Ilse Aichinger *" Copyright © Hilde Zeman, Heidelberg "*

ILSE AICHINGER

Selected Short Stories and Dialoge

Edited by

JAMES C. ALLDRIDGE

PERGAMON PRESS

OXFORD · LONDON · EDINBURGH · NEW YORK

TORONTO · PARIS · BRAUNSCHWEIG

Pergamon Press Ltd., Headington Hill Hall, Oxford
4 & 5 Fitzroy Square, London W.1
Pergamon Press (Scotland) Ltd., 2 & 3 Teviot Place, Edinburgh 1
Pergamon Press Inc., 44-01 21st Street, Long Island City, New York 11101
Pergamon of Canada, Ltd., 6 Adelaide Street East, Toronto, Ontario
Pergamon Press S.A.R.L., 24 rue des Ecoles, Paris 5e
Friedr. Vieweg & Sohn, Verlag, Postfach 185, 33 Braunschweig, West Germany

---

First edition 1966
Library of Congress Catalog Card No. 66-17783

Printed in Great Britain by
EYNSHAM TECHNICAL PRESS (OXFORD) LTD.

(2758/66)

Contents

PREFACE	vii
INTRODUCTION	1
Der Gefesselte	10
Die Geöffnete Order	25
Das Plakat	32
Engel in der Nacht	39
Spiegelgeschichte	47
Mondgeschichte	57
Seegeister	64
Rede unter dem Galgen	70
Wo ich wohne	76
Mein grüner Esel	81
Die Puppe	84
Die Maus	89
Die Silbermünze	93
Nichts und das Boot	97
Der junge Leutnant	103
Belvedere	107
Zu keiner Stunde	116
Erstes Semester	120
REFERENCES	125
SELECT BIBLIOGRAPHY	129

Preface

The inception of this edition of the stories of Ilse Aichinger, the first devoted to her work in England, goes back three years and more to a foggy November day, when she herself read from her works in a University in the Midlands. She and her reading made a deep impression on all who heard her, and the decision to try to make more of her works available to English readers was taken then.

The selection of items from her work for this edition has not been difficult: only three of her stories published to date are not included. To the fifteen stories included in this edition have been added three of her twenty published 'Dialoge'. This last named is a literary form in which she has become a specialist, and it is one which gives her particular talents great scope: brevity, no adornment, even dryness—all aimed with almost terrifying directness and unerring precision at the very centre of the human spirit, whose weaknesses are clear to us all and which preoccupy Ilse Aichinger so much.

No attempt has been made by the editor to detail the contents of any story or 'Dialog'; it is expected that the reader will want to do this for himself. Ilse Aichinger is not easy to understand but ready definitions and explanations have been avoided. What has been attempted is the selection of one or two matters which are her main concern with the hearts and minds of her fellow men, some indication of the malaise which in her opinion is affecting these and some of her suggested remedies for a situation which is of such grave concern to all who are uneasy about the state of man's soul.

Throughout the preparation of this edition, and long before it was undertaken in detail, the editor has had the privilege of enjoying the understanding help of the author herself. For this, for her generosity in placing unpublished material at his disposal (one of her stories is published here for the first time), for her permission to use in the present edition two stories of which she herself holds the copyright and for her unfailing kindness and patience in answering many questions, the editor wishes to thank her most warmly.

During work on the present edition, and on many other occasions in the past, the editor is indebted for continual encouragement and help from Inter Nationes in Bonn, most especially the Secretary, Frl. Sigrid Lanzrath. He is glad of this opportunity to express his gratitude.

Lastly, he wishes to acknowledge the always prompt and efficient help given him so willingly in the expert researches undertaken by Frau Dkfm. Margit Hetmanek, Wien. To all three is attributable a very great measure of any merit the edition may have.

Introduction

"*. . . aber soll man denn immer betonen, was uns trennt?*"
ILSE AICHINGER, "*Die Maus*"

I

Ilse Aichinger was born in Wien in 1921 and grew up there and in Linz. The 'Anschluß' in March 1938 brought great difficulties for her and her family; amongst other restrictions imposed upon her was the refusal to admit her to the university. It was only after the war that she began her studies in medicine, during which she wrote her novel "Die Größere Hoffnung", published in 1948. Shortly afterwards she gave up her studies and became in her native city resident reader for S. Fischer Verlag.

A move to Ulm in Württemberg to collaborate in the founding and early work of the Hochschule für Gestaltung did not interrupt her work as reader for Fischer nor her own creative writing. She is a member of the 'Gruppe 47', which awarded her its prize in 1952 for her Erzählung "Rede unter dem Galgen". In the same year she received the 'Förderungspreis des Österreichischen Staatspreises'. Her continued literary activity has brought her three more awards: the 'Literaturpreis der Freien Hansastadt Bremen' (1955), the 'Immermann Preis der Stadt Düsseldorf' a year later and in 1961 the 'Literaturpreis der Bayerischen Akdemie'. She is a member of the 'Akademie der Künste' in Berlin and of the 'PEN-Zentrum der Deutschen Bundesrepublik'. She is married to the Hörspiel author Günter Eich and they live now in her native land.

II

Every writer is faced with the choice of making his work either a piece of reality or of making it a transparency, through which can be seen that which we call essential. The writer has complete command over the elements of this reality, and has the choice of confronting the reader with accustomed or unaccustomed aspects of it. The confrontation of the accustomed is achieved by changes in the scene and of the unaccustomed by changes in the perspective. Both can be a truthful expression of man's inner reality. Very often any malaise or surprise felt by the reader is due to the unusualness of the writer's point of view.

Influenced, possibly unconsciously, by the strong tradition of psychology in Austria, Ilse Aichinger questions the reality we have become accustomed to accept in society today.

This is deliberate, in order that the reader may gain an insight into hitherto unsuspected strata of this same reality. She has sought to escape from the conventional, theme-bound nature of the novel, and, by confronting the reader with the heterogeneous and paradoxical, has pointed to a surer reality, and has thus, as Jens[1] says, been able to give her readers in outline an analysis of the situation of mankind today. Out of this paradox has stemmed no doubt her turning from the novel to the shorter story, to the Hörspiel and the Dialog, as many of her contemporaries have done. She, like they, are wearily aware of the increasing dissolution of the human personality in a world of blurred outlines and lack of permanency in the spirit: the shorter literary form preferred by her and many contemporary writers is perhaps more expressive of the 'Zeitgeist'.

Taking a point of departure in Kafka, Ilse Aichinger's theme throughout is mankind in the bondage caused and nourished by his lack of concern for the spiritual life of his fellows. There is evidence in all her work of man's friable existence; in a parable of his own to be set not unworthily alongside hers, Höllerer[2] has drawn most effectively attention to this in his epilogue to Ilse Aichinger's 'Erzählungen' in the volume "Der Gefesselte", warning us at the same time that the understanding of parables is a great help in understanding her. The very title story of this collection is signi-

1. Jens: Vierte These
2. Ilse Aichinger: "Der Gefesselte" (Statt eines Nachworts).

ficant of Aichinger's insistence on the helpless condition of man as she sees it. From this position, she moves on in her stories through a mythical, almost grotesque dreamland, but she maintains an extreme logical sequence and avoids getting lost in surrealist phantasmagoria.[3]

None of her settings is tied to a particular time, though her inspiration has arisen out of her experience in her own time, and the remarkable variety of scene in her work would be bewildering, were it not for the sympathy and understanding we feel at once for every one of her characters, in spite of the apparent unreality of the actual setting of her stories. In her 'Erzählung' "Spiegelgeschichte" truth appears as a dream, reminding us of Lope de Vega's "La Vida es Sueño" and Grillparzer's "Der Traum ein Leben".[4]

It is not possible to understand Ilse Aichinger's stories by traditional modes of thought. We need a fresh insight into the human mind and spirit. The understanding we shall get from our true reading of parables recommended by Höllerer will help us to gain this insight and to understand both the accusation she makes and to share the hope she holds out for mankind. The wisdom and understanding in her work are given to the world in a concentrated, abbreviated, almost 'codified' form. It is not unique to Ilse Aichinger; both Heinz Risse and Hans Nossack adopt this form, to mention but two contemporaries. But no contemporaries have used it so much and so effectively as Ilse Aichinger. Here it is clear that even that which affords refuge and protection can contain the germ of destruction. An example is the woman in the story "Seegeister"; when she takes off her sun-glasses she is threatened with immediate disintegration. Thus, for Ilse Aichinger, signs and symbols are the only permanent things. As the Zwerg in "Zu Keiner Stunde" says:

"Ich ziehe Vergleiche zwischen grün und grün. Das nimmt kein Ende". (p.116)

Green is a symbol of hope, and none need entirely despair, not even the girl student in "Erstes Semester", who is told by the land-

3. See, Ruth Lorbe: "Die Deutsche Kurzgeschichte der Jahrhundertmitte".
4. See also: Lennartz.

lady, when she calls to inquire about a room, that a room she fancies is "Aufgelassen im vorläufigen Sinn des Wortes. Besetzt im immerwährenden".

Hope and comfort is there, even if the student receives no immediate answer to her further demand

"Ich will erst wissen, was das heißt, 'für immer'!"

So like us in so many ways is she that she draws back when she learns that the door is the doorway to death and onwards to another life.

In this concentrated, 'codified' form in which Aichinger gives us her wisdom there is a kind of mystic, double manoeuvrability of all so much used by the Romantics (e.g., E. T. A. Hoffmann: 'Abenteur der Sylvesternacht'). It has its origin in the fantasy of the 'Märchen', in a world where children once felt safe. But now this safety is endangered, and Ilse Aichinger has expressed most cogently in her novel "Die Größere Hoffnung" all the 'Angst' and horror of children subjected to the danger of uncertainty. What desolation there must be in the heart of a child to whom is said: " . . . Weihnachten ist immer gleich nahe, ohne daß es freilich käme" ("Erstes Semester").

This child, like many adults, has not yet attained the maturity of spirit which can say, with T. S. Eliot:

"In my end is my beginning . . . in my beginning is my end" ("East Coker"). They have not realised that:

'What you do not know is the only thing you know' ("East Coker"), nor are they aware of what the landlady is trying to tell the student, in Eliot's words:

'The end is where we start from' ("Little Gidding"). But this awareness is in the spirit of the dead girl in Ilse Aichinger's story who in part relives her last hours on earth:

"Am Anfang nimmt man Abschied"

("Spiegelgeschichte").

III

In considering Ilse Aichinger's manner of story-telling, we do well to remember that for her reality and dream each veils the other. The image in her work of the dance of death is a dance on the border between hopes and fears. In "Die Größere Hoffnung" she has written: "Die Wolken reiten Manöver" (Ch. IV, opening words)—the human spirit in its eternal search after refuge, in its attempt to escape from what seems to be eternal torture.

Klaus Nonnenmann[5] has pointed out that the cadence of her language is determined by the varying patience and impatience of the human soul while enduring its daily course of life. Ilse Aichinger's own words in "Rede unter dem Galgen" epitomise this attitude:

"Noch immer hat der Himmel mich nicht für leicht genug befunden, daß ich den Boden unter meinen Füßen verlieren darf, weiter muß ich auf Steinen gehen, auf dieser Erde, die mich nicht fest genug an sich zieht, als daß ich in ihr ruhen könnte und mich doch nicht zu anderen Sternen läßt! . . . "

This idea is also at the root of the story "Der Gefesselte", where man's bonds are shown to be tight enough to prevent him from making free moves and taking independent action, but not too tight to prevent him from carrying out restricted movements, that is from doing those things dictated to him by others, a striking illustration of Ilse Aichinger's understanding of and concern for mankind in bondage. Throughout her work this becomes increasingly clear to us, on occasions in a mixture of fear and fun, seldom more so than in her Hörspiel "Knöpfe", where the character Ann finds her way out of the eternal circle of burdens imposed by one's job or office, a way not expected by those in authority. Nonnenmann[6] quotes as an illustration of this very same argument the passage from "Knöpfe":—

"BILL: Bei uns hätten Sie Arbeit, Ann, und keine schwere. Sie

5. "Schriftsteller der Gegenwart—Deutsche Literatur". Klaus Nonnenmann. Walter Verlag. Freiburg/Br. 1963/pp. 11-17.

6. Nonnenmann: *op. cit.*

kommen um halb neun und gehen um halb sechs. Sie sind eingearbeitet und alles ist Ihnen vertraut. Und am Wochenende bekommen Sie Ihr Gehalt. Sie sind geborgen.

ANN: Ich weiß, zuletzt in Fächern.

BILL: Bei uns wären Sie sicher, Ann!"

ANN: Weil ich Ihnen sicher wäre, wie Jean.

BILL: Wenn Sie jetzt gehen, gehen Sie für immer.

ANN: (Schon aus der Ferne): Ich gehe, Bill!"

All that Ilse Aichinger tells us is given in a series of images, each likened to a facet of the world we all know in part. Sadness often intervenes in the middle of laughter. This is particularly true of the 'Hörspiel' "Knöpfe", where seriousness of thought is expertly laid into the conjectural situation between weeping and laughter. As Ann in this 'Hörspiel' says:

"Vielleicht ist alles zum Lachen"

In reading Ilse Aichinger's work we sense a direct appeal, so expert is she in the craft of writing, as Nonnenmann[7] has shown. But he has not emphasised enough the danger we run, in enjoying this expertise, of overlooking the very subtle fluctuations in just that very banality and wonderment to which he has drawn attention in a reference to Aichinger's story "Das Plakat":—

"Der Junge hatte keine Ahnung, was sterben hieß. Wie sollte er auch? Über seinem Kopf stand in heller Schrift . . . das Wort 'Jugend' . . . jetzt wußte er es—sterben mußte man, um nicht überklebt zu werden" ("Das Plakat", p.33)

We must, then, read Ilse Aichinger with particular intensity and care. How aware she is of the full import of language we can see from the words of the 'Pförtnerin', who answers the question of the student:

". . . wie ist es mit Weihnachten?"

and the answer, which we have already read in another but similar context:

"Oh, es ist immer gleich nahe, ohne daß es freilich käme"

7. Nonnenmann: *op. cit.*

This is a strange, interzonal world where both intense pre-occupation and sheer indifference, where the distant view and close inspection seem to be equally essential all the time.

One remarkable feature of her language is her general avoidance of proper names—in only one of the items in the present collection is a character named: Robert in "Nichts und das Boot". This avoidance is significant of Aichinger's overlaying of the daily 'reality': lack of names renders a general application of principles easier and more direct. 'Der Gefesselte', 'der Hauslehrer', 'der junge Leutnant', even just 'der Junge', 'der Mann' and 'die Frau'—they all come before us unencumbered with unessential appendages, making it even easier for their creator to find parallels which strike directly at the vitals of our spirit, of our imagination and of our compassion:—

"Zeit und Weg waren zu Wölfen geworden, die einander rissen"
("Die Geöffnete Order", p.29)

or the words in the same story, of a wound which reopens:—

"sie öffnete sich mit der Vehemenz eines verborgenen Wunsches". (p.23)

And even when a name is given to a character in any one of Aichinger's stories or 'Dialoge', it is a so common one that its presence does not intrude upon this contemplation by the reader of the real reality beneath the surface which she wishes us to undertake.

It is not a far step from this to the lesson to be drawn from the minute world of the mouse which bemoans the fact that:

"alle anderen kommen leicht in den Verdacht, sie möchten etwas kontrollieren, in die Hand bekommen, sich über etwas setzen."

But the mouse is not so:

"ich nicht," it says to itself, "ich höre das Eis so beteiligt wie unbeteiligt brechen. Alles Gelächter vollzieht sich ohne mich".
("Die Maus", p.90)

The mouse at least is not likely to be a prey to the fears of others who:

"vielleicht Angst hatten, zu Gespenstern zu werden und sich selbst zu erscheinen"
("Das Plakat", p.32)

We go out from these intimate scenes and backgrounds to the wider ones of nature, into which we are led through references to the weather, so common in Ilse Aichinger, and to the great world outside our own prescribed life; into this we are taken, too, through the pressing and ever present existence of ships and boats, of students of marine engineering and of lakes and water in so many forms. And yet in all these themes and scenes of boats and water and ships we soon become aware that nearly all the travellers in them are destined to return to their point of departure, perhaps even almost before they have set out. Only in "Die größere Hoffnung" does this ship of destiny set out without any certain harbour or with any certainty of return. And so, in her apparent uncertainty of the situation in which her characters feel themselves to be, Ilse Aichinger has yet made clear her belief in a hope, a 'Zuversicht', that, if only mankind will learn to look beneath the surface and not be content to judge by outward and material signs only, salvation from the predicament of his present position is possible.

IV

It is within this tension that Ilse Aichinger's discoveries in poetic form are revealed. Pertinent in this context is the remark of the speaker in "Engel in der Nacht", who says:

> "Damals wußte ich noch nicht, daß es die Engel sind, die uns beschwören. Nicht wir sind es, die sie erträumen, die Engel träumen uns. Wir sind die Geister in ihren hellen Nächten, wir sind es, die mit Türen schlagen. ide es nicht gibt . . ."
>
> ("Engel in der Nacht", p.42)

Nonnenmann[8] has quoted other illuminating examples of this remarkable perception and has summed it up in a quotation from Karl Kraus, which, although not made with specific reference to Ilse Aichinger, might well have been. Kraus' words are, speaking of poetic inspiration:—

"Den Geräuschen des Tages lauschen, als seien es Akkorde der

8. Nonnenmann: *op. cit.*

Ewigkeit", which is just what Aichinger does and what she urges her readers to do.

A possible doorway into Ilse Aichinger's world and her aim can be found in a close study of the true meaning of the word 'Hörspiel', with emphasis on the first syllable of the word. We hear play as children hear it. They listen carefully and accurately to what is in fact a series of rhythmic utterings which they do not ever entirely comprehend. But their imagination is stirred; they form in their own mind images which centre round an already lived experience. From this the child builds up its world and takes or makes its own terminology and takes its own signs to explain it. So Ilse Aichinger urges us to listen just as carefully and accurately as children do, and thus participate in a language which surpasses or overcomes the logical consistency of conventional terminology; we shall then, she says, be able to penetrate into a deeper spiritual world hidden behind that facade which we are with indifference so often content to regard as life. Her writing sets her scenes and characters in this very world behind the facade, where she ponders the situation of her fellow men with such concern, trust and love, with that 'greater hope' which is the title of her so moving novel. It is a situation where man's soul hovers between betrayal and salvation. This must be of concern to us all.

DER GEFESSELTE

Er erwachte in der Sonne. Ihr Licht fiel auf sein Gesicht, so daß er die Augen wieder schließen mußte; es strömte ungehindert die Böschung hinab, sammelte sich zu Bächen und riß Schwärme von Mücken mit, die tief über seine Stirne hinwegflogen, kreisten, zu landen suchten und von neuen Schwärmen überholt wurden. Als er sie verscheuchen wollte, bemerkte er, daß er gefesselt war. Eine dünne gedrehte Schnur schnitt in seine Arme. Er ließ sie zurückfallen, öffnete wieder die Augen und sah an sich hinab. Seine Beine waren bis zu den Schenkeln hinauf gebunden, die gleiche Schnur schlang sich um seine Knöchel, lief mehrfach überkreuzt aufwärts, umwand seine Hüften, seine Brust und seine Arme. Wo ihre Enden verknotet waren, sah er nicht, und er glaubte so lange, daß die Fesselung fehlerlos war, ohne das geringste Zeichen von Angst oder Hast, bis er entdeckte, daß sie zwischen seinen Beinen Raum frei ließ und fast lose um seinen Körper lief. Auch seinen Armen, die man ihm nicht an den Leib, sondern nur aneinander gebunden hatte, war Spielraum gegeben. Das ließ ihn lächeln und brachte ihn im Augenblick auf den Gedanken, daß Kinder ihren Scherz mit ihm getrieben hätten.

Er griff nach seinem Messer, aber wieder schnitt die Schnur sanft in sein Fleisch. Er bemühte sich mit größerer Vorsicht noch einmal, in seine Tasche zu greifen, sie war leer. Es fehlte außer dem Messer auch noch das wenige Geld, das er bei sich gehabt hatte, und sein Rock. Die Schuhe hatte man ihm von den Füßen gezogen. Er befeuchtete seine Lippen und schmeckte Blut, das von den Schläfen abwärts über Wangen, Kinn und Hals bis unter sein Hemd geronnen war. Seine Augen schmerzten; wenn er sie längere Zeit offen ließ, spiegelte der Himmel rötliche Streifen wider.

Er beschloß aufzustehen. Er zog die Knie an, soweit es möglich war, berührte mit den Händen das frische Gras und schnellte sich hoch. Ein blühender Holunderzweig streifte seine Wangen, die Sonne blendete ihn, und die Fessel preßte sich in sein Fleisch.

Halb besinnungslos vor Schmerz ließ er sich zurückfallen und versuchte es noch einmal. Das trieb er so lange, bis ihm das Blut aus den verdeckten Striemen trat. Dann lag er wieder lange Zeit still und ließ Sonne und Mücken gewähren.

Als er zum zweitenmal erwachte, warf der Holunderstrauch seinen Schatten schon über ihn und ließ die gespeicherte Kühle zwischen den Zweigen hervorströmen. Er mußte einen Schlag auf den Kopf bekommen haben. Dann hatten sie ihn hierher gelegt, wie Mütter ihre Säuglinge sorglich unter die Büsche legen, wenn sie aufs Feld gehen. Ihr Hohn sollte nicht verschwendet sein.

Alle Möglichkeiten lagen in dem Spielraum der Fesselung. Er stützte die Ellbogen auf die Erde und beobachtete das Spielen der Schnur. Sobald sie spannte, gab er nach und versuchte es mit größerer Vorsicht wieder. Wenn er die Zweige über seinem Kopf erreicht hätte, würde er sich an ihnen hochgezogen haben, aber er erreichte sie nicht. Er legte den Kopf auf den Rasen zurück, rollte sich herum und kam auf die Knie. Er tastete mit den Fußspitzen den Boden ab und stand plötzlich fast ohne Mühe auf.

Wenige Schritte vor ihm lief der Weg die Hochfläche dahin, Steinnelken[2] und blühende Disteln wuchsen zwischen den Gräsern. Er hob den Fuß, um sie nicht niederzutreten, wurde aber durch die Schnur gehindert, die seine Knöchel hielt. Er sah an sich hinab.

Die Schnur war an den Gelenken festgeknotet, lief aber in einer Art von spielerischem Muster von einem zum anderen. Er bückte sich behutsam und griff danach, aber sie ließ sich, so locker sie auch schien, doch nicht weiter lockern. Um nicht mit bloßen Füßen in die Disteln zu treten, stieß er sich leicht vom Boden ab und hüpfte wie ein Vogel über sie hinweg.

Beim Krachen eines Zweiges hielt er inne. Irgend jemand in diesem Umkreis hielt nur mit Mühe sein Gelächter zurück. Der Gedanke, daß er nicht in der Lage wäre, sich — wie immer — zu verteidigen, erschreckte ihn. Er hüpfte weiter, bis er auf dem Weg stand. Tief unten zogen helle Felder hin. Von dem nächsten Ort sah er nichts, und es würde Nacht werden, ehe er ihn erreichte, wenn es ihm nicht gleang, sich schneller zu bewegen.

Er versuchte zu gehen und bemerkte, daß die Schnur ihm erlaubte, einen Fuß vor den anderen zu setzen, wenn er jeden Fuß immer nur um ein bestimmtes Maß vom Boden hob und ihn, bevor die ganze Spannweite ausgemessen war, wieder senkte. In demselben Maß ließ sie auch seine Arme schwingen.

Schon nach den ersten Schritten fiel er. Er lag quer über dem Weg und sah den Staub hochfliegen. Er erwartete, das lange unterdrückte Gelächter jetzt hervorbrechen zu hören, aber alles blieb still. Er war allein. Als der Staub sich senkte, kam er hoch und ging. Er sah zu Boden und beobachtete das Pendeln der Schnur, wie sie nachschleifte, sich leicht über die Erde spannte und wieder sank.

Als die ersten Leuchtkäfer aufflogen, gelang es ihm, den Blick vom Boden loszureißen. Er fühlte sich wieder in seiner Macht, und seine Ungeduld, den nächsten Ort zu erreichen, ließ nach.

Der Hunger machte ihn leicht, und es schien ihm auch, als hätte er eine Geschwindigkeit erreicht, die kein Motorrad überholen konnte. Oder er stand auf dem Fleck, und das Land kam ihm schnell entgegen wie der reißende Strom einem, der stromaufwärts schwimmt. Der Strom trug Sträucher, die der Nordwind nach Süden gebogen hatte, junge verkrüppelte Bäume und Rasenstücke mit hellen langstengeligen Blumen. Zuletzt überflutete er auch Sträucher und junge Bäume und ließ nur den Himmel über sich und dem Mann. Der Mond war aufgegangen und beleuchtete die gewölbte freie Mitte der Hochfläche, den von niedrigem Gras überwachsenen Weg, den Gefesselten, der mit schnellen, gemessenen Schritten auf ihm dahinging, und zwei Feldhasen, die knapp vor ihm den Hügel überquerten und sich über den Abhang verloren. Obwohl die Nächte um diese Zeit noch kalt waren, legte sich der Gefesselte vor Mitternacht wieder an den Rand der Böschung und schlief.

Im Morgenlicht beobachtete der Tierbändiger, der mit seinem Zirkus auf der Wiese vor dem Dorf lagerte, den Gefesselten, wie er, nachdenklich den Blick zu Boden gekehrt, den Weg daherkam. Er sah, wie er stehenblieb und nach etwas griff. Er bog die Knie ab, hielt einen Arm ausgestreckt, um sich im Gleichgewicht zu erhalten, hob mit dem anderen eine leere Weinflasche vom Boden, richtete sich auf und schwang sie hoch. Er bewegte sich langsam, um nicht wieder von der Schnur geschnitten zu werden, aber dem Zirkusbesitzer schien es wie die freiwillige Beschränkung einer großen Geschwindigkeit. Die unbegreifliche Anmut der Bewegung entzückte ihn, und während der Gefesselte noch nach einem Stein Ausschau hielt, an dem er die Flasche zerschellen wollte, um mit dem abgesplitterten Hals die Schnur zu durchtrennen, kam der Tierbändiger über die Wiese auf ihn zu. Auch nicht die Sprünge der jüngsten Panther hatten ihn je in ein solches Entzücken versetzt.

»Sie sehen den Gefesselten!« Schon seine ersten Bewegungen lösten einen Jubel aus, der dem Tierbändiger am Rand der Arena vor Erregung das Blut in die Wangen trieb. Der Gefesselte richtete sich auf. Seine eigene Überraschung war immer wieder die eines Vierfüßigen, der sich erhebt. Er kniete, stand, sprang und schlug Räder. Das Staunen der Zuschauer galt einem Vogel, der freiwillig auf der Erde bleibt und sich im Ansatz beschränkt. Wer kam, kam wegen des Gefesselten – seine Schuljungenübungen, seine lächerlichen Schritte und Sprünge machten die Seiltänzer unnötig. Sein Ruhm wuchs von Ort zu Ort, aber seine Bewegungen blieben immer die gleichen, wenige und im Grunde gewöhnliche Bewegungen, die er untertags in dem halbdunklen Zelt immer wieder und wieder üben mußte, um die Leichtigkeit in der Fessel zu behalten. Indem er ganz in ihr blieb, wurde er ihrer auch ledig, und weil sie ihn nicht einschloß, beflügelte sie ihn und gab seinen Sprüngen Richtung. Wie sie auch die Flügelschläge der Zugvögel haben, wenn sie in der Sommerwärme aufbrechen und noch zögernd kleine Kreise am Himmel beschreiben.

Die Kinder in der Gegend spielten nur mehr ›Der Gefesselte‹. Sie banden sich gegenseitig, und einmal fanden die Zirkusleute in einem Graben ein kleines Mädchen, das bis zum Halse abgeschnürt war und keine Luft bekam. Sie befreiten es, und an diesem Abend sprach der Gefesselte nach der Vorstellung zu den Zuschauern. Er erklärte kurz, daß eine Fessel, die keine Sprünge erlaube, sinnlos sei. Von da an gab er auch den Spaßmacher.

Gras und Sonne, Zeltpflöcke, die in den Boden geschlagen und wieder herausgezogen wurden, nahe Dörfer. »Sie sehen den Gefesselten!« Der Sommer wuchs sich entgegen. Er neigte sein Gesicht tiefer über die Fischteiche in den Mulden und entzückte sich in dem dunklen Spiegel, er flog dicht über die Flußläufe hinweg und machte die Ebene zu dem, was sie war. Wer laufen konnte, lief dem Gefesselten nach.

Viele wollten die Fessel aus der Nähe sehen. Der Zirkusbesitzer erklärte deshalb jeden Abend nach der Vorstellung, wer sich jetzt überzeugen wolle, daß die Knoten nicht Schlingen und die Schnur kein Gummiband sei, könne es ruhig tun. Der Gefesselte erwartete die Leute gewöhnlich auf dem Platz vor dem Zelt, er lachte oder blieb ernst und streckte ihnen die Arme hin. Manche benützten die Gelegenheit, um ihm ins Gesicht zu schauen, andere griffen ernsthaft die Schnur ab, prüften die Knoten an den Gelenken und wollten genau wissen, wie die Längen sich zu den Längen der Glieder verhielten. Sie fragten den Gefesselten, wie alles gekommen sei, und er antwortete ihnen geduldig immer das gleiche: Ja, er wäre gefesselt worden, und als er erwachte, hätte er sich auch bestohlen gefunden. Wahrscheinlich hätten sie nicht mehr Zeit gehabt, die Fessel richtig zu binden, denn für einen, der sich nicht rühren sollte, wäre sie jedenfalls etwas zu locker, und für einen, der sich rühren sollte, wäre sie etwas zu fest. Aber er bewege sich ja doch, erwiderten die Leute darauf. Ja, sagte er, was bliebe ihm anderes übrig?

Ehe er sich niederlegte, blieb der Gefesselte immer noch eine Weile am Feuer. Wenn der Zirkusbesitzer ihn dann fragte, weshalb er keine besseren Geschichten erfände, erwiderte der Gefesselte, er hätte auch diese nicht erfunden. Und dabei stieg ihm das Blut ins Gesicht. Er blieb lieber im Schatten.

Es unterschied ihn von den anderen, daß er die Fessel auch nach der Vorstellung nicht abnahm. Deshalb blieb jede Bewegung immer noch wert, gesehen zu werden, und die Leute aus den Dörfern schlichen lange um die Lagerplätze, nur um zu betrachten, wie er vielleicht nach Stunden vom Feuer aufstand und sich in seine Decke rollte. Und er sah ihre Schatten sich entfernen, wenn der Himmel schon wieder hell wurde.

Der Zirkusbesitzer sprach oft davon, wie man die Fessel nach der Abendvorstellung lösen und am nächsten Tag wieder binden könne. Er beriet sich mit den Seiltänzern, die doch auch nicht die Nacht über auf dem Seil blieben — aber niemand meinte es ernst.

Der Ruhm des Gefesselten rührte ja daher, daß er die Fessel nie abnahm, daß er, wenn er sich selbst waschen wollte, immer zugleich auch seine Kleider waschen mußte und, wenn er seine Kleider waschen wollte, immer zugleich auch sich selbst, daß er nicht anders konnte, als täglich, wie er war, in den Fluß zu springen, sobald die Sonne hervorkam. Und daß er sich nicht zu weit hinauswagen durfte, um nicht mitgerissen zu werden.

Der Zirkusbesitzer wußte, daß die Hilflosigkeit des Gefesselten ihn zur Not vor dem Neid seiner Leute bewahrte. Vielleicht ließ er ihnen absichtlich das Vergnügen, ihn in Kleidern, die von Nässe am Leib klebten, vorsichtig von Stein zu Stein ans Ufer tasten zu sehen. Wenn seine Frau dann sagte, daß auch die besten Kleider eine solche Wäsche auf die Dauer nicht ertrügen (und die Kleider des Gefesselten wären gar nicht die besten), erwiderte er kurz, daß es nicht für immer sei. Und damit beruhigte er alle Einwände: es war nur für den Sommer gedacht. Aber es ging ihm wie einem Spieler, es war ihm auch damit nicht ernst. Eigentlich war er bereit, Löwen und Seiltänzer für den Gefesselten hinzugeben.

Das bewies er auch in der Nacht, während der sie über das Feuer sprangen. Er war später überzeugt davon, daß nicht die längeren und die kürzeren Tage den Anlaß dazu gegeben hatten, der Anlaß war der Gefesselte, der wie immer nahe der Glut lag und ihnen zusah. Mit diesem Lächeln, von dem man nie wußte, ob es nicht das Feuer allein auf sein Gesicht warf. Wie man ja überhaupt nichts von ihm wußte, weil seine Erzählungen immer nur bis zu dem Augenblick reichten, in dem er aus dem Wald trat.

Aber an diesem Abend packten ihn zwei von den Zirkusleuten plötzlich an Armen und Beinen und kamen mit ihm ganz nahe ans Feuer, sie schwenkten ihn hin und her, während drüben zwei andere wie zum Scherz die Arme ausbreiteten. Dann warfen sie ihn hinüber, aber sie warfen zu kurz. Die beiden anderen wichen zurück – wie sie später sagten, um den Anprall besser zu ertragen. Der Gefesselte kam an den Rand der Glut zu liegen und wäre in Brand geraten, wenn ihn nicht der Zirkusbesitzer auf seine Arme genommen und aus dem Feuer getragen hätte, um die Fessel zu retten, die zuerst von der Glut durchsengt worden wäre. Wie er auch sicher war, daß der Anschlag der Fessel gegolten hatte. Alle Beteiligten entließ er sofort.

Wenige Tage später erwachte die Frau des Zirkusbesitzers durch das Tappen von Schritten im Gras und kam gerade noch zurecht ins Freie, um den Clown an seinem letzten Scherz zu hindern. Er hatte nichts als eine Schere bei sich. Als man ihn verhörte, wiederholte er immer wieder, daß er dem Gefesselten nicht nach dem Leben getrachtet hätte. Er wollte nur die Fessel durchschneiden. Er sprach von Mitleid, aber auch er wurde entlassen.

Den Gefesselten erheiterten diese Versuche, er konnte sich ja selbst befreien, wann immer er Lust hatte, aber vielleicht wollte er noch einige neue Sprünge lernen. »Wir ziehen mit dem Zirkus, wir ziehen mit dem Zirkus!« Diese Kinderreime fielen ihm manchmal ein, wenn er nachts wach lag. Vom gegenüberliegenden Ufer hörte er noch lange die Stimmen der Zuschauer, die die Strömung bei der Heimfahrt zu weit hinuntergetrieben hatte. Er sah den Fluß glänzen und unter dem Mond die jungen Zweige, die aus den dicken Köpfen der Weiden wuchsen, und dachte noch nicht an den Herbst.

Der Zirkusbesitzer fürchtete die Gefahr, die der Schlaf für den Gefesselten bedeutete. Nicht so sehr deshalb, weil es immer wieder solche gab, die danach trachteten, ihn zu befreien – entlassene Seiltänzer oder Kinder, die angestiftet waren –, dagegen konnte er Maßnahmen treffen. Die größere Gefahr war der Gefesselte selbst, der im Traum die Fessel vergaß und an dem finsteren Morgen von ihr überrascht wurde. Zornig wollte er sich aufrichten, warf sich hoch und fiel wieder zurück. Der Jubel vom vorherigen Abend war abgestanden, der Schlaf noch zu nahe, Hals und Kopf zu frei. Er war das Gegenteil eines Gehenkten, er hatte den Strick überall, nur nicht um den Hals. Man mußte dafür sorgen, daß er in solchen Augenblicken kein Messer bei sich hatte. Der Zirkusbesitzer schickte seine Frau manchmal gegen Morgen zu ihm. Wenn sie ihn schlafend fand, beugte sie sich über ihn und griff die Fessel ab. Die Schnur war von Staub und Nässe hart geworden. Sie maß die Zwischenräume und berührte seine wunden Gelenke.

Es bildeten sich bald die verschiedensten Gerüchte um den Gefesselten. Die einen sagten, er hätte sich selbst gebunden und dann die Geschichte mit den Dieben erfunden, und diese Meinung überwog gegen Ende des Sommers. Andere milderten es dahin, daß sie erklärten, er hätte sich auf seinen eigenen Wunsch fesseln lassen, es konnte sein, daß alles auf einer Übereinkunft mit dem Zirkusbesitzer beruhte. Die stockenden Erzählungen des Gefesselten, seine Art, abzubrechen, wenn die Rede auf den Überfall kam, trugen viel zu diesen Gerüchten bei. Wer noch an die Diebsgeschichte glaubte, wurde ausgelacht. Niemand wußte, wie schwer es dem Zirkusbesitzer wurde, den Gefesselten zu halten, wie oft der Gefesselte erklärte, er hätte jetzt genug, er wolle gehen, es sei schon zuviel von dem Sommer vertan.

Später sprach er nicht mehr davon. Wenn die Frau ihm das Essen an den Fluß brachte und ihn fragte, wie lange er noch mit ihnen ziehen wolle, gab er keine Antwort. Sie glaubte, daß er sich zwar nicht an die Fessel gewöhnt hätte, aber daran, sie keinen Augenblick zu vergessen — die einzige Gewöhnung, die die Fessel zuließ. Sie fragte ihn, ob es ihm nicht lächerlich scheine, gefesselt zu bleiben, aber er erwiderte, nein, lächerlich scheine es ihm nicht. Es zögen so viele mit dem Zirkus, Elefanten, Tiger und Spaßmacher, weshalb sollte nicht auch ein Gefesselter mitziehen? Er erzählte ihr auch von seinen Übungen, von neuen Bewegungen, die er erlernt hatte, von einem Griff, der ihm klar wurde, als er den Tieren die Fliegen von den Augen scheuchte. Er beschrieb ihr, wie er der Fessel jedesmal zuvorkam, wie er um ein Geringstes an sich hielt, um sie nicht zu spannen, und sie wußte, daß er Tage hatte, an denen er sie kaum streifte, wenn er morgens vom Wagen sprang und die Flanken der Pferde klopfte, als rührte er sich im Traum. Sie sah, wie er sich über die Stangen schwang, wie flüchtig er das Holz hielt, und sie sah die Sonne auf seinem Gesicht. Manches Mal, sagte er ihr, fühle er sich, als wäre er nicht gefesselt. Sie antwortete, daß er sich nie gefesselt fühlen müsse, wenn er nur bereit wäre, die Schnur abzunehmen. Er sagte darauf, das stünde ihm immer frei.

Zuletzt wußte sie nicht mehr, wem ihre Sorge galt, der Fessel oder dem Gefesselten. Obwohl sie es ihm versicherte, glaubte sie doch nicht daran, daß er auch ohne Fessel mit ihnen weiterziehen würde. Denn was bedeuteten seine Sprünge ohne die Fessel, was bedeutete er selbst ohne sie? Er würde gehen, wenn sie abgenommen waren, aller Jubel wäre plötzlich zu Ende. Sie würde nie mehr, ohne bei den anderen Verdacht zu erwecken, neben ihm auf den Steinen am Fluß sitzen können, sie wußte, daß seine Nähe von der Fessel abhing, die hellen Abende und die Gespräche, denn diese Gespräche kreisten nur darum. Sooft sie die Vorteile der Fessel einsah, begann er von ihrer Last zu reden, und wenn er von ihrer Freude sprach, drängte sie ihn, die Fessel abzunehmen. Das schien oft ohne Ende wie der Sommer selbst.

Zu anderen Zeiten beunruhigte es sie, daß sie mit ihren Reden dieses Ende beschleunigen half. Es kam vor, daß sie nachts aufsprang und über den Rasen zu dem Platz lief, auf dem der Gefesselte schlief. Sie wollte ihn wachrütteln, sie wollte ihn bitten, die Fessel zu behalten, aber dann sah sie ihn darin liegen wie einen Toten, die Decke abgeworfen, die Beine von sich gestreckt und die Arme nur wenig auseinandergebreitet. Seine Kleider hatten von Hitze und Wasser Schaden gelitten, aber die Schnur war um nichts dünner geworden. Es schien ihr wieder sicher, daß er mit dem Zirkus ziehen würde, bis ihm die Haut vom Fleisch fiel und seine Gelenke offenlagen. Am nächsten Morgen bat sie ihn noch dringender, die Fessel abzunehmen.

Ihre Hoffnung war die zunehmende Kühle. Der Herbst kam, lange konnte er nicht mehr mit den Kleidern in den Fluß springen. Aber wenn er früher gleichmütig geblieben war, so stürzte ihn gegen Ende des Sommers der Gedanke, die Fessel zu verlieren, in Trauer. Die Lieder der Erntearbeiter flößten ihm Angst ein: »Der Sommer, der Sommer ist hin —.« Aber er sah ein, daß er seine Kleider wechseln mußte. Daran, daß einer die Fessel, sobald sie einmal gelöst war, wieder so binden könne, glaubte er nicht. Um diese Zeit begann der Zirkusbesitzer davon zu reden, daß er heuer[3] nach dem Süden ziehen wolle.

Die Hitze wechselte ohne Übergang in eine stille, trockene Kälte, die Feuer wurden den Tag über brennend gehalten. Der Gefesselte spürte, sobald er den Wagen verließ, das kalte Gras unter seinen Sohlen. Die Spitzen der Halme waren von Reif überzogen. Die Pferde träumten im Stehen, und die Raubtiere schienen, noch im Schlaf zum Sprung geduckt,[4] die Traurigkeit unter den Fellen zum Ausbruch zu sammeln.

An einem dieser Tage entkam dem Zirkusbesitzer ein junger Wolf. Er verschwieg es, um niemanden zu erschrecken, aber der Wolf begann bald in die Viehweiden der umliegenden Orte einzubrechen. Obwohl man zuerst dachte, daß ihn die Witterung eines strengen Winters von sehr weit her getrieben hätte, wurde doch auch der Verdacht gegen den Zirkus wach. Der Zirkusbesitzer hatte seine Leute einweihen müssen, und es konnte nicht mehr lange geheim bleiben, woher der Wolf kam. Die Zirkusleute boten den Bürgermeistern der nahen Orte ihre Hilfe bei der Jagd an, aber alle Jagden blieben vergeblich. Zuletzt begann man, den Zirkus ganz offen des Schadens und der Gefahr zu beschuldigen, die Zuschauer blieben aus.

Die Bewegungen des Gefesselten hatten auch vor den halbleeren Tribünen nichts von ihrer bestürzenden Leichtigkeit verloren. Den Tag über trieb er sich unter dem dünngehämmerten Silber des herbstlichen Himmels auf den umliegenden Höhenzügen[5] herum und lag, sooft er konnte, wo die Sonne am längsten hinschien. Er fand auch bald einen Platz, auf den die Dämmerung zuletzt kam, und stand nur unwillig aus dem dürren Gras auf, wenn sie ihn endlich erreichte. Er mußte, wenn er die Höhe verließ, das Wäldchen am Südhang passieren, und an einem dieser Abende sah er zwei grüne Lichter, die ihm von unten entgegenglommen. Er wußte, daß es keine Kirchenfenster waren, und er täuschte sich keinen Augenblick.

Er blieb stehen. Das Tier kam durch das gelichtete Laub[6] auf ihn zu. Er konnte jetzt seine Umrisse unterscheiden, den Hals, der schräg abfiel, den Schweif, der den Boden peitschte, und den gesenkten Schädel. Wäre er nicht gefesselt gewesen, so hätte er vielleicht zu fliehen versucht, aber so empfand er nicht einmal Angst. Er stand ruhig mit hängenden Armen und sah auf das gesträubte Fell nieder, unter dem die Muskeln spielten wie seine Glieder in der Fessel. Er glaubte noch den Abendwind zwischen sich und dem Wolf, als das Tier ihn schon ansprang. Der Mann bemühte sich, seiner Fessel zu gehorchen.

Mit der Vorsicht, die er lange erprobt hatte, griff er dem Wolf an die Kehle. Zärtlichkeit für den Ebenbürtigen stieg in ihm auf, für den Aufrechten in dem Geduckten. In einer Bewegung, die dem Sturz eines großen Vogels glich – und er wußte jetzt sicher, daß Fliegen nur in einer ganz bestimmten Art der Fesselung möglich war –, warf er sich auf ihn und brachte ihn zum Fallen. Wie in einem leichten Rausch fühlte er, daß er die tödliche Überlegenheit der freien Glieder verloren hatte, die Menschen unterliegen läßt.

Seine Freiheit in diesem Kampf war, jede Beugung seiner Glieder der Fessel anzugleichen, die Freiheit der Panther, der Wölfe und der wilden Blüten, die im Abendwind schwanken. Er kam mit dem Kopf schräg nach abwärts zu liegen, umklammerte mit seinen bloßen Füßen die Läufe des Tieres, und mit den Händen seinen Schädel.

Er fühlte, wie die Sanftmut des welken Laubes seine Handrücken streichelte, wie seine Griffe fast ohne Anstrengung die äußerste Kraft erreichten, wie die Fessel ihn nirgends hinderte.

Als er aus dem Wald trat, begann ein leichter Regen vor der Sonne niederzuströmen. Der Gefesselte blieb eine Weile am Rand unter den Bäumen. Er sah hinter den leichten Schleiern, die nur Windstöße von Augenblick zu Augenblick verdichteten, tiefer unten den Lagerplatz und den Fluß, Viehweiden und Auen und die Plätze, an denen sie gekreuzt hatten. Es kam ihm der Gedanke, doch mit nach dem Süden zu ziehen. Er lachte leise. Es war gegen alle Vernunft. Lange würden seine Kleider das Schaben der Fessel nicht mehr ertragen, wenn er es seinen Gelenken auch zutraute, von Krusten überzogen zu bleiben, die bei gewissen Bewegungen aufbrachen und bluteten.

Die Frau riet dem Zirkusbesitzer, die Nachricht vom Tod des Tieres verkünden zu lassen, ohne den Gefesselten zu nennen. Sie hätten ihm nicht einmal zur Zeit des größten Jubels eine solche Tat geglaubt, und sie würden sie ihm jetzt in ihrer Erbitterung, zu einer Zeit, in der die Nächte schon kühl wurden, noch viel weniger glauben. Sie würden zuletzt nicht nur daran zweifeln, daß er den Wolf erschlagen habe, sie würden vielmehr zweifeln, daß der Wolf, der noch am selben Tag eine Gruppe spielender Kinder angefallen hatte, überhaupt erschlagen sei. Der Zirkusbesitzer, der mehrere Wölfe besaß, konnte leicht ein Fell an das Geländer hängen und freien Eintritt geben. Aber er ließ sich nicht abhalten. Er wiederum dachte, daß gerade die Verkündung einer solchen Tat den Glanz des Sommers noch einmal wiederbringen könne.

Der Gefesselte bewegte sich an diesem Abend unsicher, er strauchelte bei einem seiner Sprünge und stürzte. Noch während er sich aufzurichten versuchte, hörte er Pfiffe und leise Spottrufe über seinem Kopf, die den Rufen der Vögel in der Morgendämmerung ähnlich waren. Und wie manches Mal im Erwachen während des vergangenen Sommers wollte er rasch aufspringen, spannte aber die Fessel zu stark und fiel zurück. Er lag still, um seine Ruhe wiederzugewinnen, und hörte den Lärm anschwellen. »Wie hast du den Wolf erschlagen, Gefesselter?« »Bist du derselbe?« Wäre er einer von ihnen, er würde es selbst nicht glauben. Er dachte, daß sie das Recht hätten, erbittert zu sein: ein Zirkus um diese Zeit, ein Gefesselter, ein entkommener Wolf und jetzt dieses Ende. Es gab Gruppen, die sich gegeneinander wandten, aber die meisten Zuschauer dachten doch, daß hier ein schlechter Scherz getrieben würde. Als der Gefesselte wieder auf den Füßen stand, war die Unruhe so groß, daß er einzelne Worte kaum mehr unterschied.

Er sah sie ringsumher aufspringen, wie welkes Laub von Wirbelstürmen aus den Wäldern rund um einen Talkessel geweht, in dessen Mitte es noch still war. Er dachte an die goldenen Dämmerungen der letzten Tage, und es ergriff ihn Erbitterung gegen dieses Friedhofslicht über allem, das in so vielen Nächten ins Kraut geschossen war, gegen den goldenen Schmuck, den die Frommen auf alte dunkle Bilder hingen, gegen diesen Abfall.

Sie verlangten, daß er den Wolfskampf wiederhole. Der Gefesselte erklärte, daß ein solcher Kampf nicht die Sache einer Zirkusvorstellung sei, und der Zirkusbesitzer rief, er hielte seine Tiere nicht, um sie vor den Augen der Zuschauer erschlagen zu lassen. Aber sie hatten schon die Umfassung gestürmt und drängten gegen die Käfige. Die Frau lief zwischen den Tribünen an den Zeltausgang, und es gelang ihr, sie von der anderen Seite zu erreichen. Sie stieß den Wärter weg, den sie zu öffnen gezwungen hatten, aber die Zuschauer rissen sie zurück, so daß sie das Gitter nicht mehr zuschlagen konnte.

»Bist du nicht die, die mit ihm den Sommer über am Fluß gelegen ist?« »Wie nimmt er dich in die Arme?« Sie rief, sie sollten ihm nicht glauben, wenn sie ihm nicht glauben wollten, sie hätten den Gefesselten nie verdient, und bemalte Spaßmacher wären immer noch gerade recht für sie.

Dem Gefesselten war es, als hätte er das ausbrechende Gelächter schon seit dem frühen Mai erwartet; was den Sommer über so süß gerochen hatte, schmeckte faul. Aber wenn sie es verlangten, würde er es noch diese Nacht mit allen Zirkustieren aufnehmen. Er hatte sich noch nie so einig mit der Fessel gefühlt.

Er schob die Frau, die ihm den Weg verstellte, sanft zur Seite. Lieber Himmel, vielleicht würde er doch mit nach dem Süden ziehen. Er stand in der offenen Tür und sah das Tier sich aufrichten, ein junges starkes Tier, und er hörte hinter sich den Zirkusbesitzer noch einmal um die verlorenen Wölfe klagen. Er klatschte in die Hände, um das Tier anzulocken, und als es nahe genug war, wandte er sich zurück, um die Gittertür zu schließen. Er sah der Frau ins Gesicht. Plötzlich erinnerte er sich der Warnung des Zirkusbesitzers, jeden, den er mit einem scharfen Gegenstand in der Nähe des Gefesselten fand, der Mordabsicht zu beschuldigen. Zugleich fühlte er die Klinge an seinem Handgelenk, kühl wie das Flußwasser im Herbst, dem er während der letzten Wochen kaum mehr standgehalten hatte. Die Schnur fiel auf der einen Seite an ihm herab und verwirrte sich, als er versuchte, sie auf der anderen von sich zu reißen. Er stieß die Frau zurück, aber seine Bewegungen trieben schon ins Ziellose. War er doch nicht genügend auf der Hut gewesen vor seinen Befreiern, vor diesem Mitleid, das ihn einwiegen wollte? War er zu lange am Fluß gelegen? Hätte sie die Schnur doch lieber in jedem anderen Augenblick durchschnitten als gerade in diesem.

Er stand im Innern des Käfigs, während er die Fessel wie die Reste einer Schlangenhaut von sich riß. Es erheiterte ihn, die Zuschauer ringsumher zurückweichen zu sehen. Wußten sie, daß er keine Wahl mehr hatte? Oder hätte ein Kampf jetzt noch das Geringste bewiesen? Zugleich schien ihm alles Blut nach unten zu strömen. Er fühlte plötzliche Schwäche.

Den Wolf erbitterte die Fessel, die ihm wie ein Fallstrick vor die Füße fiel, mehr als das Eindringen des Fremden in seinen Käfig. Er setzte zum Sprung an. Der Mann taumelte und griff nach der Waffe, die an der Wand des Käfigs hing. Dann schoß er, ehe ihn jemand hindern konnte, den Wolf zwischen die Augen. Das Tier bäumte sich und berührte ihn im Fallen.

Auf dem Weg zum Fluß hörte er die Schritte der Nacheilenden hinter sich, der Zuschauer, der Seiltänzer, des Zirkusbesitzers und am längsten die der Frau. Er verbarg sich hinter einer Gruppe von Sträuchern und sah sie an sich vorbeilaufen und nach einer Weile langsam gegen das Lager zurückgehen. Der Mond schien auf die Wiese, sie hatte in diesem Licht zugleich die Farbe des Wachstums und des Todes.

Als er an den Fluß kam, beruhigte sich sein Zorn. In der Morgendämmerung schien es ihm, als trüge das Wasser Eisschollen, als wäre drüben in den Auen schon Schnee gefallen, der die Erinnerung nimmt.

DIE GEÖFFNETE ORDER[1]

Vom Kommando war lange keine Weisung gekommen, und es hatte den Anschein, als ob man überwintern würde. In den Schlägen[2] ringsum fielen die letzten Beeren von den Sträuchern und verfaulten im Moos. Die ausgesetzten Posten klebten verloren in den Baumwipfeln und beobachteten das Fallen der Schatten. Der Feind lag jenseits des Flusses und griff nicht an. Statt dessen wurden die Schatten Abend für Abend länger, und die Nebel hoben sich von Morgen zu Morgen schwerer aus den Niederungen. Es gab unter den jüngeren Freiwilligen der Verteidigungsarmee einige, die Sonne und Mond satt hatten und sich dieser Art der Kriegführung nicht gewachsen fühlten. Sie waren entschlossen, wenn es nötig sein sollte, auch ohne Befehl anzugreifen, bevor Schnee fiel.

Derjenige von ihnen, der an einem der nächsten Tage von den Befehlshabern der Abteilung mit einer Meldung an das Kommando geschickt wurde, ahnte deshalb nichts Gutes. Er wußte, daß sie keinen Scherz verstanden, wenn es um Meuterei ging, so nachlässig sie auch sonst schienen. Einige Fragen, die ihm nach Abgabe der Meldung auf dem Kommando gestellt wurden, ließen ihn fast an ein Verhör denken und erhöhten seine Unsicherheit.

Um so mehr überraschte es ihn, als ihm nach längerer Wartezeit eine Order mit dem Befehl übergeben wurde, sie noch vor Einbruch der Nacht an die Abteilung zurückzubringen. Er wurde angewiesen, den kürzeren Weg zu fahren. Auf einer Karte bezeichnete man ihm die eingesehenen Stellen. Zu seinem Unwillen gab man ihm einen Begleiter mit. Durch das offene Fenster sah er den Beginn des Weges, den er zu nehmen hatte, vor sich. Der Weg lief quer über die Lichtung und verlor sich spielerisch zwischen den Haselsträuchern. Man schärfte dem Mann noch einmal Vorsicht ein. Gleich darauf fuhren sie los.

Es war kurz nach Mittag. Wolkenschatten zogen äsenden Tieren gleich über den Rasen und verschwanden gelassen im

Dickicht. Der Weg war schlecht und stellenweise fast unbefahrbar. Niedrige Sträucher drängten dicht heran. Sobald der Fahrer eine größere Geschwindigkeit nahm, schlugen ihre Zweige den Männern in die Augen. Der Wald schien auf Holzsammler zu warten, und auch der Fluß, der da und dort über ausgerodete Stellen hinweg in der Tiefe sichtbar wurde, stellte sich unwissend. Auf den Kämmen glänzte geschlagenes Holz in der Mittagsonne. Nichts in der Natur nahm die Grenzhaftigkeit[3] zur Kenntnis.

Sie hatten Eile, durch die Schläge zu kommen, die sich immer wieder zwischen den Stämmen auftaten und mit dem Blick in die Tiefe auch sie selbst den Blicken der Tiefe freigaben. Der Fahrer ließ den Wagen über Wurzeln springen und wandte sich von Zeit zu Zeit nach dem Mann mit der Order zurück, wie um sich einer Fracht zu versichern. Das erbitterte den anderen und machte ihn des Mißtrauens seiner Auftraggeber gewiß.

Was hatte seine Meldung enthalten? Wohl hieß es, daß am frühen Morgen einer der entfernteren Posten Bewegungen jenseits des Flusses beobachtet hatte, doch solche Gerüchte gab es immer wieder, und es war möglich, daß sie vom Stab zur Beruhigung der Leute erfunden wurden. Ebenso konnte es sein, daß die Aussendung der Meldung ein Manöver gewesen war und das Vertrauen, das man ihm erwies, fingiert.[4] Sollte er aber Unerwartetes gemeldet haben, so mußte es aus dem Inhalt der Order hervorgehen. Er sagte sich, daß es besser sei, den Inhalt zu wissen, solange man auf eingesehenen Straßen fuhr. Eine Erklärung dieser Art würde er auch geben, wenn man ihn zur Verantwortung zog. Er tastete nach dem Kuvert und berührte das Siegel. Seine Sucht, die Order zu öffnen, wuchs wie Fieber mit dem sinkenden Licht.

Um eine Frist zu gewinnen, bat er den anderen, ihm seinen Platz zu überlassen. Während er fuhr, überkam den Mann Beruhigung. Sie hatten jetzt schon stundenlang die Wälder nicht mehr verlassen. Der Weg war stellenweise von Geröll überschüttet, das von künstlichen Sperren herrührte und auf die Nähe des Zieles schließen ließ. Diese Nähe flößte dem Mann

Gleichmut ein, vielleicht würde sie ihn hindern, das Siegel zu öffnen. Er fuhr ruhig und sicher, aber während sie da, wo der Weg wie in einer plötzlichen Sinnesverwirrung selbstmörderisch hinabstürzte, ohne Schaden wegkamen, blieb der Wagen unmittelbar darauf an einer sumpfigen Stelle stecken. Der Motor hatte ausgesetzt, Schreie von Vögeln ließen die darauffolgende Stille noch größer erscheinen. Farnkräuter wucherten im Umkreis. Sie hoben den Wagen heraus. Der Junge erbot sich, einen Defekt, der ihrer Weiterfahrt noch im Weg war, zu beheben. Während er unter dem Wagen lag, erbrach der Mann ohne jede weitere Überlegung die Order. Er mühte sich kaum, das Siegel zu wahren. Er stand über den Wagen gebeugt und las. Die Order lautete auf seine Erschießung.

Es gelang ihm, sie in die Brusttasche zurückzuschieben, ehe der andere seinen Kopf unter dem Wagen hervorzog. »Alles in Ordnung!« sagte er fröhlich. Dann fragte er, ob er nun wieder fahren sollte. Ja, er sollte fahren. Während er ankurbelte, überlegte der Mann, ob es besser wäre, ihn jetzt oder im Fahren niederzuschießen. Es gab für ihn keinen Zweifel mehr darüber, daß sein Begleiter Eskorte war.

Der Weg verbreiterte sich an seinem tiefsten Punkt, als reute ihn sein plötzlicher Absturz, und führte sachte hinauf. ›Die Seele eines Selbstmörders, von Engeln getragen‹, dachte der Mann. Aber sie trugen ihn dem Gericht entgegen, und es würde sich als Schuld enthüllen, was als gutes Recht gegolten hatte. Es war die Aktion ohne Befehl. Was ihn verwunderte, war die Mühe, die man sich mit ihm nahm.

Im fallenden Dunkel sah er die Umrisse des anderen vor sich, seinen Schädel und seine Schultern, die Bewegungen seiner Arme — eine Fraglosigkeit der Kontur, die ihm selbst versagt blieb. Die Kontur des Bewußten verfließt in der Finsternis.

Der Fahrer wandte sich nach ihm um und sagte: »Wir werden eine ruhige Nacht haben!« Das klang wie reiner Hohn. Aber die Nähe des Zieles schien ihn gesprächig zu machen, und er fuhr fort, ohne eine Antwort abzuwarten: »Wenn wir gut hinkommen!« Der Mann nahm den Revolver vom Koppel. Es war im Wald so finster, daß man denken konnte, die Nacht wäre schon hereingebrochen. »Als Kind«, sagte der Fahrer, »mußte ich immer von der Schule durch den Wald nach Hause gehen, wenn es abends war, da habe ich laut gesungen, damals . . .«

Sie waren über Erwarten schnell an die letzte Rodung gekommen. Wenn wir darüber sind — dachte der Mann, denn von da ab wurde der Wald noch einmal sehr dicht, ehe er sich gegen den abgebrannten Weiler zu öffnete, wo die Abteilung lag. Aber diese letzte Rodung war breiter als alle bisherigen, der Fluß glänzte aus einer größeren Nähe herüber. Ein Spinnennetz von Mondlicht lag über dem Schlag, der sich bis zum Kamm hinaufzog. Der Weg war von den Rädern der Ochsenkarren zerfurcht, die vor langer Zeit hier gefahren waren. Die eingetrockneten Furchen glichen im Mondlicht dem Innern einer Totenmaske. Auch dem, der die Rodung gegen den Fluß zu hinuntersah, wurde deutlich, daß die Erde den Abdruck eines fremden Gesichtes trug.

Der Mann hielt den Revolver vor sich auf den Knien. Als der erste Schuß fiel, hatte er deshalb die Empfindung, ihn gegen seinen Willen vorzeitig ausgelöst zu haben. Aber wenn der vor ihm getroffen war, so mußte sein Gespenst von großer Geistesgegenwart sein, denn es fuhr mit größerer Geschwindigkeit weiter. Er brauchte verhältnismäßig lange, ehe er erkannte, daß er selbst der Getroffene war. Der Revolver entfiel seiner Hand, sein Arm sackte herab. Ehe sie den Wald wieder erreichten, fielen noch mehrere Schüsse, ohne zu treffen.

Das Gespenst vor ihm wandte dem Mann sein fröhliches Gesicht zu und sagte: »Hier wären wir glücklich darüber, der Schlag war eingesehen!« — »Halten Sie!« sagte der Mann. »Nicht hier«, erwiderte der Junge, »tiefer drinnen!« — »Ich bin getroffen«, sagte der Mann verzweifelt. Der andere fuhr noch ein Stück weiter, ohne sich umzusehen, und hielt dann plötzlich an. Es gelang ihm, die Wunde abzubinden und das Blut zu stillen. Dann sagte er das einzig Tröstliche, das er wußte: »Wir sind jetzt bald am Ziel!« Dem Verwundeten wird der Tod versprochen — dachte der Mann. »Warten Sie!« sagte er. »Noch etwas?« fragte der Junge ungeduldig. »Die Order!« erwiderte der Mann, und griff mit der linken Hand in die Brusttasche. Im Augenblick seiner tiefsten Verzweiflung war ihm der Wortlaut auf eine neue Weise bewußt geworden. Die Order lautete auf die Erschießung des Überbringers, sie nannte keinen Namen.

»Mein Rock ist durchgeblutet«, sagte der Mann, »übernehmen Sie die Order!« Wenn der andere sich weigerte, so würde sich hier alles entscheiden. Nach einem Augenblick des Schweigens fühlte er, wie ihm der Brief aus der Hand genommen wurde. »In Ordnung!« sagte der andere.

Die letzte halbe Stunde verging in Schweigen, Zeit und Weg waren zu Wölfen geworden, die einander rissen. Auf den himmlischen Weiden sind die Schafe geschützt, aber die himmlischen Weiden enthüllten sich als Richtplatz.

Der Ort, wo die Abteilung lag, war ein Weiler von fünf Häusern gewesen, von denen im Lauf der bisherigen Scharmützel[5] drei abgebrannt waren. Die Helle der heilen Höfe machte deutlich, daß die Jungfräulichkeit des Abends der Nacht noch nicht gewichen war. Der Ort war ringsum von Wald umschlossen, der Rasen war niedergetreten und von Fahrzeugen und Geschützen übersät. Ein Drahtverhau grenzte den Platz gegen die Wälder ab.

Auf die Frage des Postens, was er brächte, erwiderte der Fahrer: »Einen Verwundeten und eine Order!« Sie fuhren rund um den Platz. Während der Mann im Wagen sich aufzurichten versuchte, dachte er, daß dieser Ort einem Ziel nicht ähnlicher war als alle andern Orte der Welt. Alle waren eher als Ausgangspunkt begreiflich. Er hörte eine Stimme fragen: »Ist er bei sich?« und hielt die Augen geschlossen. Es ging darum, Zeit zu gewinnen.

Und ehe irgend etwas bekannt wurde, hatte er neue Kräfte gefunden, und Waffen, die seine Flucht erleichterten. Als sie ihn aus dem Wagen hoben, hing er schlaff in ihren Armen.

Sie trugen ihn in eines der Häuser über den Hof, in dem ein Ziehbrunnen stand. Zwei Hunde schnüffelten um ihn her. Die Wunde schmerzte. In einem Raum im Erdgeschoß legten sie ihn auf eine Bank. Es brannten keine Lampen hier, die Fenster standen offen. »Kümmert euch weiter um ihn!« sagte der Fahrer. »Ich möchte keine Zeit verlieren.«

Der Mann erwartete, daß man ihn jetzt verbinden würde, aber als er vorsichtig die Lider hob, fand er sich allein. Vielleicht waren sie weggegangen, um Verbandzeug zu holen. Im Haus war ein lebhaftes Kommen und Gehen, Türen wurden zugeschlagen, Stimmen klangen auf, aber all das trug sein eigenes Verstummen schon in sich und erhöhte, den Schreien der Vögel ähnlich, die Stille, aus der es sich erhob. ›Wozu das alles?‹ dachte der Mann und begann, als nach einigen Minuten noch immer niemand gekommen war, die Möglichkeit einer sofortigen Flucht zu erwägen. Im Flur lehnten abgestellte Gewehre. Dem Posten würde er sagen, er sei mit einer neuen Meldung an das Kommando bestellt. Ausweise hatte er bei sich. Wenn er es bald tat, konnte noch niemand Bescheid wissen.

Er richtete sich auf, wunderte sich aber, wie groß die Schwäche war, die er vorzugeben gedacht hatte. Ungeduldig setzte er die Füße auf den Boden, erhob sich, konnte aber nicht stehen. Er setzte sich zurück und versuchte es entschlossen ein zweites Mal. Bei diesem Versuch riß der Notverband, den der andere angelegt hatte, und die Wunde brach auf. Sie öffnete sich mit der Vehemenz eines verborgenen Wunsches. Er fühlte, wie das Blut sein Hemd durchtränkte und das Holz der Bank näßte, auf die er zurückgefallen war. Durch das Fenster sah er über der getünchten Mauer des Hofes den Himmel. Er hörte das Aufschlagen von Hufen, Pferde wurden in die Stallungen gebracht. Die Bewegungen im Haus hatten sich verstärkt, die Geräusche nahmen zu, es schien Unerwartetes geschehen zu sein. Er zog sich an dem Fenstersims hoch und glitt wieder herab. Er rief, aber es hörte ihn niemand. Man hatte ihn vergessen.

Während er dalag, wich seine Auflehnung einer verzweifelten Heiterkeit. Das Verbluten schien ihm dem Entweichen durch verschlossene Türen ähnlich, einem Übergehen aller Posten. Der Raum, der nur durch die Helle der gegenüberliegenden Mauer wie von Schneelicht ein wenig erleuchtet wurde, enthüllte sich als Zustand. Und war nicht der reinste aller Zustände Verlassenheit, und das Strömen des Blutes Aktion? Da er sie an sich und nicht um der Verteidigung willen gewünscht hatte, war das Urteil, das sich an ihm erfüllte, richtig. Da er das Liegen an den Grenzen satt hatte, bedeutete es Erlösung.

In der Ferne fielen Schüsse. Der Mann öffnete die Augen und erinnerte sich. Es war sinnlos gewesen, die Order weiterzugeben. Sie schossen den anderen nieder, während er hier lag und verblutete. Sie zerrten den anderen hinaus zwischen die Sparren der abgebrannten Höfe, vielleicht hatten sie ihm schon die Augen verbunden, nur sein Mund stand noch halb offen vor Überraschung, sie legten an, sie zielten, Achtung — —

Als er zu sich kam, fühlte er, daß seine Wunden verbunden waren. Er hielt es für einen unnötigen Dienst, den die Engel an den Verbluteten taten, für Barmherzigkeit, die zu spät kam. »Hier sehen wir uns wieder!« sagte er zu dem Fahrer, der sich über ihn beugte. Erst als er einen Offizier vom Stab am Fußende des Bettes bemerkte, erkannte er mit Schrecken, daß er nicht gestorben war.

»Die Order«, sagte er, »was ist mit der Order geschehen?«

»Durch den Schuß lädiert«, erwiderte der Offizier, »aber noch lesbar.«

»Ich hatte sie zu überbringen«, sagte der Mann.

»Wir sind zurecht gekommen!« unterbrach ihn der Fahrer. »Die am andern Ufer haben überall den Angriff begonnen!«

»Es war die letzte Nachricht, die wir zu erwarten hatten.« Der vom Stab wandte sich zum Gehen. In der Tür drehte er sich noch einmal zurück und sagte, nur um noch irgend etwas zu sagen: »Ihr Glück, daß Sie den Wortlaut der Order nicht kannten. Wir hatten eine merkwürdige Chiffre für den Beginn der Aktion.«

DAS PLAKAT

»Du wirst nicht sterben!« sagte der Mann, der die Plakate klebte, und erschrak über seine Stimme, als wäre ihm in der flirrenden Hitze sein eigener Geist erschienen. Dann wandte er den Kopf vorsichtig nach links und rechts, aber da war niemand, der ihn für verrückt halten konnte, niemand stand unter seiner Leiter. Der Stadtbahnzug war eben weggefahren und hatte die Schienen wieder ihrem eigenen Glanz überlassen. Auf der anderen Seite der Station stand eine Frau und hielt ein Kind an der Hand. Das Kind sang vor sich hin. Und das war alles. Die Stille des Mittags lag wie eine schwere Hand über der Station, und das Licht schien von seinem eigenen Übermaß überwältigt zu sein. Der Himmel über den Schutzdächern war blau und gewalttätig, im gleichen Maß bereit, zu schützen und einzustürzen, und die Telegraphendrähte hatten längst zu singen aufgehört. Die Ferne hatte die Nähe verschlungen und die Nähe die Ferne. Es war kein Wunder, daß nur wenige Leute um diese Zeit mit der Stadtbahn fuhren, vielleicht hatten sie Angst, zu Gespenstern zu werden und sich selbst zu erscheinen.

»Du wirst nicht sterben!« wiederholte der Mann verbittert und spuckte von der Leiter. Ein Flecken Blut blieb auf den hellen Steinen. Der Himmel darüber schien plötzlich vor Schreck erstarrt. Es war fast, als hätte ihm einer erklärt: Du wirst nie Abend werden, als wäre der Himmel selbst zum Plakat geworden und stünde nun grell und groß wie die Werbung für ein Seebad über der Station. Der Mann warf den Pinsel in den Eimer zurück und stieg von der Leiter. Er fiel mit dem Rücken gegen die Mauer, hatte aber gleich darauf den Schwindel überwunden, nahm die Leiter über die Schulter und ging.

Der Junge auf dem Plakat lachte schreckerfüllt mit weißen Zähnen und starrte geradeaus. Er wollte dem Mann nachschauen, hatte aber keine Möglichkeit, den Blick zu senken. Seine Augen waren aufgerissen.[2] Halbnackt, die Arme hochgeworfen, im Lauf festgehalten wie zur Strafe für Sünden, von denen er nichts wußte, stand er im weißen Gischt,[3] über sich den

Himmel, der zu blau, und hinter sich den Strand, der zu gelb war, und lachte verzweifelt auf die andere Seite der Station, wo das Kind vor sich hin sang und die Frau verloren und sehnsüchtig nach ihm hinübersah. Er hätte ihr gerne erklärt, daß es eine Täuschung war, daß er nicht die See vor sich hatte, wie das Plakat glauben machen wollte, sondern ebenso wie sie nur den Staub und die Stille der Station und die Tafel mit der Aufschrift: »Das Betreten der Schienen ist verboten!« Und er hätte ihr sein eigenes Lachen geklagt, das ihn zur Verzweiflung brachte, wie der Gischt, der ihn umsprang, ohne zu kühlen.

Der Junge auf dem Plakat hätte niemals auf solche Ideen kommen dürfen. Weder das Mädchen links von ihm, das einen Blumenstrauß aus einem ganz bestimmten Blumenladen an die Brust gepreßt hielt, noch der Herr rechts von ihm, der eben gebückt aus einem blitzblauen Auto stieg, fanden irgend etwas daran. Es fiel ihnen nicht ein, sich aufzulehnen. Das Mädchen hatte kein Verlangen, den Strauß, den es kaum halten konnte, aus seinen rosigen Armen zu lassen, und die Blumen hatten kein Verlangen nach Wasser. Und der Herr mit dem Auto schien seine gebückte Haltung für die einzig mögliche zu halten, denn er lächelte vergnügt und dachte nicht daran, sich aufzurichten, das Auto abzusperren und den hellen Wolken ein Stück nachzugehen. Sogar die hellen Wolken standen reglos, von silbernen Linien wie von Ketten umgeben, die sie nicht wandern ließen. Der Junge im Gischt war der einzige, dem die Auflehnung hinter dem erstarrten Lachen saß wie das unsichtbare Land hinter der gelben Küste.

Schuld daran war der Mann mit der Leiter, der gesagt hatte: »Du wirst nicht sterben!« Der Junge hatte keine Ahnung, was sterben hieß. Wie sollte er auch? Über seinem Kopf stand in heller Schrift, schräg wie eine vergessene Rauchwolke über den Himmel geworfen, das Wort »Jugend«, und zu seinen Füßen in dem täuschenden Streifen giftgrüner See konnte man lesen: »Komm mit uns!« Es war eine der vielen Werbungen für ein Ferienlager.

Der Mann mit der Leiter war inzwischen oben angelangt. Er lehnte die Leiter an die schmutzige Mauer des Stationsgebäudes, wechselte mit dem lahmen Bettler einige Worte über die Hitze und überquerte zuletzt die Fahrbahn, um sich an dem Stand auf der Brücke ein Glas Bier zu kaufen. Dort wechselte er wieder einige Worte über die Hitze und keines über das Sterben und ging dann zurück, um seine Leiter zu holen. Über allem war ein Schleier von Staub, in den das Licht sich vergeblich zu hüllen versuchte. Der Mann packte die Leiter, den Eimer und die Rolle mit den Plakaten und stieg auf der anderen Seite der Stadtbahn die Stiegen wieder hinunter. Der nächste Zug war noch immer nicht gekommen. Sie verkehrten um diese Zeit manchmal so selten, als verwechselten sie Mittag mit Mitternacht.

Der Junge auf dem Plakat, der nichts anderes konnte als lachend geradeaus starren, sah, wie der Mann genau gegenüber seine Leiter wieder aufstellte und von neuem über die Wände zu streichen begann, über die Wände, an welchen Frauen in kostbaren Kleidern und in dem frevelhaften Wunsch, festzuhalten, was nicht festzuhalten war, erstarrt waren. Der Wunsch, das Ende der Nacht nicht zu erleben, war ihnen in Erfüllung gegangen. Ihre Angst vor dem Morgengrauen war so groß gewesen, daß sie von nun ab nichts anderes mehr konnten, als für den Spiegelsaal eines Tanzlokals werben, starr und leicht zurückgeneigt in den Armen ihrer Herren. Der Mann auf der Leiter schüttelte seinen Pinsel aus. Sie waren an der Reihe, überklebt zu werden. Der Junge gegenüber konnte es deutlich sehen. Und er sah, wie sie freundlich und wehrlos das Furchtbare mit sich geschehen ließen.

Er wollte schreien, doch er schrie nicht. Er wollte die Arme ausstrecken, um ihnen zu helfen, aber seine Arme waren hochgeworfen. Er war jung und schön und strahlend. Er hatte das Spiel gewonnen, doch den Preis hatte er zu bezahlen. Er war festgehalten in der Mitte des Tages wie die Tänzer gegenüber in der Mitte der Nacht. Und wie sie würde er wehrlos alles mit sich geschehen lassen, wie sie würde er den Mann nicht von der Leiter stoßen können. Vielleicht hing alles damit zusammen, daß er nicht sterben konnte.

Komm mit uns — komm mit uns — komm mit uns! Er hatte nichts anderes im Kopf zu haben als die Worte zu seinen Füßen. Es war der Reim eines Liedes. Das sangen sie, wenn sie auf Ferien fuhren, das sangen sie, wenn ihnen die Haare flogen. Das sangen sie noch immer, wenn der Zug auf der Strecke hielt, das sangen sie, wenn ihnen die Haare im Fliegen erstarrten. Komm mit uns — komm mit uns — komm mit uns! Und keiner wußte weiter.

Hinter der Stirne des Jungen begann es zu rasen. Weiße Segler landeten ungesehen in der unsichtbaren Bucht. Der Reim sprang um: Du wirst nicht sterben — du wirst nicht sterben — du wirst nicht sterben! Es war wie eine Warnung. Der Junge hatte keine Ahnung, was Sterben war, aber es brannte plötzlich wie ein Wunsch in ihm. Sterben, das hieß vielleicht die Bälle fliegen lassen und die Arme ausbreiten, sterben, das hieß vielleicht tauchen oder fragen, sterben hieß, von dem Plakat springen, sterben — jetzt wußte er es — sterben mußte man, um nicht überklebt zu werden.

Der Mann auf der Leiter hatte seine Worte längst vergessen. Und wenn es einer Fliege auf dem Rücken seiner Hand eingefallen wäre, ihn daran zu erinnern, so hätte er sie abgeleugnet. Er hatte es in einem Anfall von Verbitterung gesagt, einer Verbitterung, die in ihm gewachsen war, seit er Plakate klebte. Er haßte diese glatten, jungen Gesichter, denn er selbst hatte ein Feuermal[4] auf der Wange. Außerdem mußte er achtgeben, daß ihn der Husten nicht von Zeit zu Zeit von der Leiter warf. Aber schließlich lebte er davon, Plakate zu kleben. Die Hitze war ihm eben in den Kopf gestiegen, vielleicht hatte er im Traum gesprochen. Schluß damit.

Die Frau mit dem Kind war näher gekommen. Drei Mädchen in hellen Kleidern klapperten die Stiegen hinunter. Zuletzt standen alle um seine Leiter und sahen ihm zu. Das schmeichelte ihm und es blieb ihm nichts übrig, als zum drittenmal ein Gespräch über die Hitze zu beginnen. Sie stimmten alle eifrig ein, als wüßten sie endlich den Grund für ihre Freude und für ihre Traurigkeit.

Das Kind hatte sich von der Hand der Mutter losgerissen und drehte sich im Kreis. Es wollte schwindlig werden. Aber bevor es schwindlig wurde, fiel sein Blick auf das Plakat gegenüber. Der Junge lachte beschwörend. »Da!« rief das Kind und zeigte mit der Hand hinüber, als gefiele ihm der weiße Schaum und die See, die zu grün war.

Der Junge hatte keine Macht, den Kopf zu schütteln, er hatte keine Macht, zu sagen: »Nein, das ist es nicht!« Aber das Rasen hinter seiner Stirne war unerträglich geworden: Sterben – sterben – sterben! Ist das Sterben, wenn die See endlich naß wird? Ist das Sterben, wenn der Wind endlich weht? Was ist das: Sterben?

Das Kind auf der anderen Seite faltete die Stirne. Es war nicht sicher, ob es die Verzweiflung in dem Lachen erkannt hatte oder ob es nur das Spiel mit den Gesichtern spielen wollte. Doch der Junge konnte nicht einmal die Stirne falten, um dem Kind die Freude zu machen. Sterben – dachte er – sterben, daß ich nicht mehr lachen muß! Ist das Sterben, wenn man seine Stirne falten darf? Ist das Sterben? fragte er stumm.

Das Kind streckte seinen Fuß ein wenig vor, als wollte es tanzen. Es warf einen Blick zurück. Die Erwachsenen waren in ihr Gespräch vertieft und beachteten es nicht. Sie redeten jetzt alle auf einmal, um gegen die Stille der Station aufzukommen. Das Kind ging an den Rand, betrachtete die Schienen und lächelte hinunter, ohne die Tiefe zu messen. Es hob den Fuß ein Stück über den Rand und zog ihn wieder zurück. Dann lachte es wieder zu dem Jungen hinüber, um ihm das Spiel zu erleichtern.

»Was meinst du?« fragte sein Lachen zurück. Das kleine Mädchen hob die Schürze ein wenig. Es wollte mit ihm tanzen. Aber wie sollte er tanzen, wenn er nicht sterben konnte, wenn er immer so bleiben mußte, jung und schön, die Arme erhoben, halbnackt im weißen Gischt? Wenn er sich niemals in die See werfen konnte, um auf die andere Seite zu tauchen, wenn er niemals zurück an Land gehen durfte, um seine Kleider zu holen, die im gelben Sand versteckt lagen? Wenn das Wort Jugend immer über seinem Kopf hing wie ein Schwert, das nicht fallen wollte? Wie sollte er mit dem kleinen Mädchen tanzen, wenn das Betreten der Schienen verboten war?

Aus der Ferne hörte man das Anrollen des nächsten Zuges, vielmehr hörte man es nicht, es war nur, als hätte sich die Stille verstärkt, als hätte sich die Helligkeit an ihrem hellsten Punkt in einen Schwarm dunkler Vögel verwandelt, die brausend näher kamen.

Das Kind faßte den Saum seines Kleides mit beiden Händen. »So –«, sang es, »und so –«, und es hüpfte wie ein Vogel am Rand. Aber der Junge bewegte sich nicht. Das Kind lächelte ungeduldig. Wieder hob es den Fuß über den Rand, den einen – den anderen – den einen – den anderen –, aber der Junge konnte nicht tanzen.

»Komm!« rief das Kind. Niemand hörte es. »So!« lächelte es noch einmal. Der Zug raste um die Kurve. Die Frau neben der Leiter bemerkte ihre freie Hand, ihre freie Hand warf sie herum. Sie griff nach dem Saum eines Kleides, als wollte sie den Himmel greifen. »So!« rief das Kind zornig und sprang auf die Schienen, bevor der Zug das Bild des Jungen verdecken konnte. Niemand war imstande, es zurückzureißen. Es wollte tanzen.

In diesem Augenblick begann die See die Füße des Jungen zu netzen. Wunderbare Kühle stieg in seine Glieder. Spitze Kiesel stachen in seine Sohlen. Der Schmerz jagte ihm Entzücken in die Wangen. Zugleich fühlte er die Müdigkeit in seinen Armen, breitete sie aus und ließ sie sinken. Gedanken falteten seine Stirne und schlossen seinen Mund. Der Wind begann zu wehen und trieb ihm Sand und Wasser in die Augen. Das Grün der See vertiefte sich und wurde undurchsichtig. Und mit dem nächsten Windstoß verschwand das Wort Jugend vom blauen Himmel und löste sich auf wie Rauch. Der Junge hob die Augen, doch er sah nicht, wie der Mann von der Leiter sprang, als stieße ihn jemand zurück. Er legte die Hände hinter die Ohren und lauschte, doch er hörte nicht das Schreien der Menschen und das grelle Hupen des Rettungswagens. Die See begann zu fluten.

»Ich sterbe«, dachte der Junge, »ich kann sterben!« Er atmete tief, zum ersten Male atmete er. Eine Handvoll Sand flog ihm ins Haar und ließ es weiß erscheinen. Er bewegte die

Finger und versuchte, einen Schritt vorwärts zu machen, wie das Kind es ihm gezeigt hatte. Er wandte den Kopf zurück und überlegte, ob er seine Kleider holen sollte. Er schloß die Augen und öffnete sie wieder. Da fiel sein Blick noch einmal auf die Tafel gegenüber: »Das Betreten der Schienen ist verboten.« Und plötzlich überfiel ihn die Angst, sie könnten ihn noch einmal erstarren lassen, lachend, mit weißen Zähnen und einem gleißenden Fleck in jedem seiner Augen, sie könnten ihm den Sand wieder aus dem Haar und den Atem wieder aus dem Mund nehmen, sie könnten die See noch einmal zu einem täuschenden Streifen unter seinen Füßen machen, worin keiner ertrinken konnte, und das Land zu einem hellen Flecken in seinem Rücken, worauf keiner stehen konnte. Nein, er würde seine Kleider nicht holen. Mußte die See nicht zur See werden, damit das Land Land sein konnte? Wie hatte das Kind gesagt? So! Er versuchte zu springen. Er stieß sich ab, kam wieder zurück und stieß sich wieder ab. Und gerade, als er dachte, es würde ihm nie gelingen, kam ein Windstoß von der Brücke. Die See stürzte auf die Schienen und riß den Jungen mit sich. Der Junge sprang und riß die Küste mit sich. »Ich sterbe«, rief er, »ich sterbe! Wer will mit mir tanzen?«

Niemand beachtete es, daß eines der Plakate schlecht geklebt worden war, niemand beachtete es, daß eines davon sich losgerissen hatte, auf die Schienen wehte und von dem einfahrenden Gegenzug zerfetzt wurde. Nach einer halben Stunde lag die Station wieder leer und still. Schräg gegenüber war zwischen den Schienen ein heller Flecken Sand, als hätte es ihn vom Meer herübergeweht. Der Mann mit der Leiter war verschwunden. Kein Mensch war zu sehen.

Schuld an dem ganzen Unglück waren die Züge, die um diese Zeit so selten fuhren, als verwechselten sie Mittag mit Mitternacht. Sie machten die Kinder ungeduldig. Aber nun senkte sich der Nachmittag wie ein leichter Schatten über die Station.

ENGEL IN DER NACHT

Das sind die hellen Tage im Dezember, die ihre eigene Helligkeit durchschauen und darum immer heller werden, die ihrer Blässe zürnen und ihre Kürze als Verheißung nehmen, die von den langen Nächten genährt sind, stark genug, in Sanftmut sich selbst zu überstehen, stark genug, schwach genug und mild. Das sind diejenigen, die aus der Schwärze sonnig werden und nur daraus. Es sind nicht viele. Denn wenn es viele wären, geschähen auch zu viele seltsame Dinge, zu viele Kirchturmuhren würden sich ganz einfach in Gottes eigene Augen verwandeln. Darum sind diese Tage selten: damit die seltsamen Dinge seltsam bleiben, damit die Leute, die aus dem Krieg gekommen sind, nicht zu oft Schmerzen haben an ihren abgeschossenen Gliedern und nicht zuviel in Händen halten, die schon längst abgefroren sind. Daß sie nicht zuviel wissen von der Nacht, die stillt. Aber manchmal gibt es solche Tage — Vögel, die vergessen haben, nach dem Süden zu fliegen. Sie breiten ihre hellen Flügel über die Stadt, und die Luft zittert vor Wärme, sie machen unseren Hauch noch einmal unsichtbar, bevor es friert. Und wenn es soweit ist, sterben sie schnell. Sie wollen keine lange Dämmerung und keine roten Wolken, sie verbluten nicht offen. Sie fallen von den Dächern, und es ist finster. Vielleicht, wenn diese verirrten Vögel nicht wären, diese hellen Tage im Dezember, gäb es auch keinen, der noch an Engel glaubt, wenn alle anderen schon hinter seinem Rükken lachen, der die Flügel hat rauschen hören vor Tag, als alle anderen nur die Hunde bellen hörten.

Meine Schwester war schuld daran. Sie war es, die mich an dem finsteren Morgen aus dem Bett gerissen und ans Fenster gezerrt hatte. »Da, da! Da fliegen sie! Hast du es rauschen hören? Siehst du nicht ihre Schleppen? Wach auf! Du schläfst zu lang!« Und später, wenn Weihnachten schon ganz nahe war und die Bäume auf den Plätzen ihre Nadeln verloren, noch ehe sie verkauft waren: »Jetzt ist schon Silber in der Luft, jetzt kommt das Kind bald nach!« Wenn ich sagte: »Es regnet!«, lachte sie verächtlich. »Du schläfst zu lang!« Zu lang, immer um den Augenblick zu lang, in dem die Engel um das Haus flogen!

Ich hatte schon lange begonnen, den Schlaf wie den Tod zu fürchten. Was ist denn Sterben anderes, als die Engel zu versäumen? Mit aufgerissenen Augen lag ich wach und wartete auf das Rauschen der Flügel, auf das Silber in der Luft. Ich schlich ans Fenster und starrte hinaus, aber ich hörte nur die Betrunkenen unten rufen, und einmal schrie einer von ihnen »Halleluja!« Meine Schwester war längst eingeschlafen. Ich hörte es ein Uhr schlagen, zwei Uhr — ich zerbiß mein Kopfpolster und nickte ein. Ich erwachte wieder. Es sah jetzt fast so aus, als wäre eine Spur von Silber in der Luft. Ich sprang auf und holte Holz aus der Kiste, warf es in mein Bett und legte mich darauf. Aber noch ehe es drei Uhr schlug, schlief ich auf den Scheitern. Und am Morgen war meine Schwester wieder früher wach als ich. Sie hatte diesmal die Spitzen der Flügel gesehen, und es wäre noch viel mehr gewesen, hätte sie nicht ihre Zeit damit vertan, mich wach zu rütteln.

»Habt ihr den Engel gesehen?« Um diese Zeit begannen sie mich in der Schule zu höhnen, um diese Zeit hätte ich nicht mehr daran glauben dürfen, damals hätte ich die dicken, kleinen Engel von meinen Schultern schütteln müssen, aber ich lachte nur. »Ihr schlaft zu lang!« Von da ab begannen mich meine Engel zu überflügeln. Alle, die sagten: »Es gibt keine!« schliefen zu lang, die ganze Welt war ein Heerlager von Schlafenden geworden, über dem Engel kreisten.

An diesem Tag hatte mich meine Mutter abgeholt; die Mutter lebte nicht bei uns, aber sie kam von Zeit zu Zeit, um mich aus der Schule zu holen, und begleitete mich ein Stück heim. Manchmal sprach sie zu mir wie zu einem Erwachsenen. An diesem Tag erzählte sie mir, daß sie nächtelang wach lag und nicht schlafen konnte. Ich liebte meine Mutter, und wenn ich einem Menschen auf der Welt mehr Glauben schenkte als meiner Schwester, war sie es. Wenn meine Mutter wach lag, mußte sie von den Engeln wissen. Ich erinnere mich genau, ich höre es, ich sehe es vor mir. Wir gehen gerade über den Platz, wo die Bäume verkauft werden, und der Himmel über dem Platz ist zu hoch für den Dezember, und der Mann bei den Bäumen ist eingeschlafen. Es ist ein warmer, trauriger Tag, ein verirrter Vogel. Meine Mutter hat schon lange etwas anderes zu reden begonnen, da frage ich sie nach den Engeln. Sie sagt: »Ich habe keine gesehen!« Sie bleibt stehen und sieht mich an und lacht und sagt: »Ich wußte auch nicht, daß du es noch glaubst. Ich habe keine gesehen.« Wir gehen dann schnell auseinander.

Aber ich war damals schon zu groß, um es einfach hinzunehmen, ich hatte zu lange daran geglaubt, und wenn sie mich getäuscht hatten, so hatten sie mich zu lange getäuscht. Ich wollte ein Zeichen, ich wollte plötzlich Heere von Engeln über die Plätze brausen hören, ich wollte alle Spötter zu Boden fallen sehen. Aber die Engel kamen nicht. Schwärme von Tauben flogen auf und kreisten unter dem stillen Himmel. Aber der Himmel war kein Himmel mehr, der Himmel war nur Luft. Sie hatten mich lächerlich gemacht, sie hatten mich verächtlich gemacht, zu lang hatte ich den hellen Rauch für weiße Kleider gehalten und das Nachhallen der Morgenglocken für das Rauschen von Flügeln. Sie hätten mich warnen sollen, und ich hätte es abgetan wie alle anderen, wie nichts, aber jetzt war es zu spät. Die Engel waren keine kleinen Engel mehr, keine Putten[3] mit runden Gesichtern und kurzen, hellen Locken, die Engel waren größer geworden, ernster und heftiger, sie waren, wie ich selbst, im letzten Jahr zu schnell gewachsen, und sie abzuwerfen, war kein Spiel mehr. Denn die Engel, die mit uns zur Welt kommen, sind nur am Anfang so klein wie wir, sie wachsen mit uns, werden wilder und stärker, und ihre Flügel wachsen mit ihnen. Je älter wir werden, desto schwerer wird der Kampf.

Erst mit dem Einbruch der Dunkelheit kam ich nach Hause. Ich hatte in den Durchhäusern[4] gelungert und auf den Bänken am Fluß, ich war für Stunden allein auf der Welt gewesen, allein zwischen den sinnlosen Toren und den Fenstern, die sinnlos sind, wenn es nicht Engel gibt, die sie bei Nacht mit ihren Flügeln streifen. Besser keine Fenster als diese, besser keine Tore, keine Häuser und kein Rauch aus den Kaminen, besser keine Lampen als solche, die nicht brennen, besser keine Welt als eine ohne Engel!

Meine Schwester wartete schon, meine Schwester wartete immer. Sie erwartete anscheinend etwas, was man nicht sehen konnte, jemanden, der nie kam, weil er schon da war. Ich hatte immer gedacht, sie erwartete die Engel. Sie lehnte am Treppengeländer, und ihre Zöpfe hingen darüber. Die Wohnungstür hinter ihr stand offen, Nebel sickerte durch die Ritzen der Flurfenster, das waren die Kleider der Engel, die sich verklemmt hatten. Aber diesmal fing ich sie, diesmal riß ich die Sterne aus ihrem Haar. Und als meine Schwester wieder sagte: »Ich habe sie gesehen«, konnte ich ihr nicht glauben. Sie sollte es beschwören!

Damals wußte ich noch nicht, daß es die Engel sind, die uns beschwören. Nicht wir sind es, die sie erträumen, die Engel träumen uns. Wir sind die Geister in ihren hellen Nächten, wir sind es, die mit Türen schlagen, die es nicht gibt, und über Schnüre springen, die wie Ketten rasseln. Vielleicht sollten wir sanfter in ihren Träumen sein, daß wir sie nicht erschrecken. Wenn die Schatten über die Wüste fallen, wirft sie der Himmel. Und meine Schwester konnte nicht schwören.

Als ich ihr ins Gesicht schrie: »Es gibt sie nicht, du hast gelogen, es gibt sie nicht!« verteidigte sie sich nicht, wie ich es erwartet hatte. Sie wurde nicht zornig und brach nicht in Gelächter aus, sie widersprach nicht einmal. Es schien überraschend für sie gekommen zu sein, und sie teilte mein Entsetzen. Meine Schwester war damals fünfzehn und schon ein Jahr aus der Schule, und doch war es, als hätte ich ihr etwas erzählt, was sie bisher nicht gewußt hatte, als wäre ihr Glaube an die Engel an dem meinen gehangen.

»Schwör auf die Flügel, schwör auf das Silber in der Luft, wenn du's gesehen hast!« Aber sie blieb ganz still. Ich war auf alles gefaßt gewesen, nur nicht auf dieses stumme Zurückweichen, diese plötzliche Wehrlosigkeit, auf das halbe Zugeben der Lüge. Ich hatte den Feind erwartet und war mit allen meinen Waffen ins Leere geritten. Sie hatte ihre Truppen zurückgezogen, vielleicht waren sie auch geflohen, ich weiß es bis heute nicht. Sie wärmte mein Essen und deckte den Tisch für mich, aber sie konnte nicht schwören. Ich zerrte an ihren Zöpfen und an ihrem Rock, wir schlugen uns, aber sie beschwor es nicht.

Wir saßen bei Tisch, wir saßen uns im Finstern gegenüber, wir hörten das Abendläuten und rührten uns nicht. Wir saßen in dem Zimmer und das Zimmer lag in dem Haus und das Haus stand auf der Kugel, die sich drehte, sinnlos drehte wie eine Betrunkene. Wir saßen beide ganz still, und meine Schwester saß noch stiller da als ich. Das schwache Licht einer Laterne strömte durch die Fenster über ihre Schultern und machte Engelshaar aus ihren Zöpfen, dasselbe, das man unten in den Buden billig zu kaufen bekam. Wir waren allein zu Hause, und vielleicht warteten wir noch immer auf ein Zeichen, auf das Brausen in der Luft. Wenn jemals, so hätten sie jetzt kommen müssen, um die Dächer der Buden abzuheben, um das falsche Engelshaar aus seiner niedlichen Verpackung zu reißen und das richtige fliegen zu lassen, das lang und strähnig war und wie Peitschenschnüre die Wangen aufriß, die es traf. Wenn irgendwann, so hätten sie jetzt kommen müssen, um die Laternen auszublasen und die Bäume auf den Märkten in Brand zu stecken, ehe sie verkauft waren. Aber sie kamen nicht, sie zerbrachen die Scheiben nicht und stießen uns nicht in die Seite. Sie führten uns nicht aus der Gefangenschaft. Sie ließen uns allein in der Hoffnung auf Spielzeug und süßes Backwerk, dem man die Flügel abbeißen konnte.

Wie lächerlich, zu denken, daß unser Vater während dieser Zeit in der Stadt umherirrte, um irgendwo billige Geschenke zu finden, und daß in irgendwelchen Kirchen gerade gesungen wurde, wenn es keine Engel gab, die dem Kind vorausflogen. Und das Kind? Das irrte in seinem kleinen, weißen Schlitten durch die riesigen Weltenräume und wunderte sich über die großen Entfernungen. Das Kind war eine Wolke, weiter nichts. Meine Schwester konnte nicht schwören.

Ihr Heer war geschlagen, ohne sichtbar geworden zu sein, und das meine war sichtbar geschlagen. Und während das meine, durch die eisige Leere und Bereitwilligkeit des feindlichen Landes in Schrecken versetzt, sinnlos die Flucht ergriff, lag das ihre verwundet in tiefen Wäldern, ein Heer, das, von Anbeginn verwundet, nicht den leisesten Versuch gemacht hatte, sich zu verteidigen, ein Heer von Blutern, das den Tod erwartete, das Heer der geschlagenen Engel. Aber zwischen dem Aufschlagen der fliehenden Schritte und dem vergessenen Wald begannen ahnungslose Hirten ihre Herden zu weiden.

Als es ganz finster geworden war, ging ich schlafen. Draußen hatte Schnee zu fallen begonnen, der sich mit Regen mischte. Ich lag im Halbschlaf und sah, wie er den müden Engeln die Flügel schwerer und immer schwerer machte, während das Kind mutterseelenallein durch die Mondgebirge fuhr, an offenen Kratern entlang. Ich wollte es warnen, aber ich hatte keine Macht dazu.

Später hörte ich meinen Vater nach Hause kommen und ich hörte, wie er einige Worte mit meiner Schwester wechselte. Sie sprachen nie viel miteinander. Noch später hörte ich die Schlüssel sich im Schloß drehen, er mußte wieder weggegangen sein. Meine Schwester öffnete die Tür zu unserem Zimmer und stand eine Weile lang unentschlossen dazwischen. Sie machte ein paar Schritte auf mein Bett zu, während ich ganz still lag. Sie beugte sich über mich, aber ich hielt die Augen geschlossen. Sie ging leise aus dem Zimmer. Als ich diesmal einschlief, träumte ich nichts mehr. Mein Schlaf war leer geworden, wie der Tod der Leute, die keine Auferstehung erwarten.

Aber wie ich eingeschlafen war gegen meinen Willen, erwachte ich gegen meine Erwartungen, ohne Zeit und in einem fremden Raum. Die Decke ist schwer wie eine Grabplatte aus Marmor. Unmöglich, sich zu bewegen oder die Augen zu öffnen. Ich will den Stein nicht. Schnee ist schöner, Schnee schmilzt! Was haben sie getan? Sie haben mich begraben, ohne daß ich gestorben bin! Sie sind nach Hause gegangen, jetzt zünden sie die Kerzen an, es riecht nach frischem Backwerk und verbrannten Zweigen. Ein Schneesturm hat draußen begonnen, wie gut es ist, daß sie noch vor dem Schneesturm nach

Hause gekommen sind. Und ich? Ich bin nicht tot! Ihr Engel, rettet mich, schnell, eh mir noch die Luft ausgeht, kommt, warum kommt ihr nicht! Seid ihr gestorben? Ja. Jetzt weiß ich's: Ihr seid es, die gestorben sind. Wir haben euch begraben gestern abend. Wart ihr nicht tot? Seid ihr's, die lebend unter Steinen liegen? Ich will euch helfen, wartet, ich will mich rühren, ich heb den Stein! Mit allen meinen Kräften will ich ihn heben, mit meinen flachen Händen – Gott steh mir bei! Wie leicht der Stein ist! Ich fliege. Könnt ihr's auch? Der Stein war Schnee.

Mondlicht flutet ins Zimmer, es ist so hell, daß man verschlossene Türen für offene Fenster halten könnte, die Wände haben sich gedreht, die Kästen und Betten haben heimlich ihre Plätze getauscht. Es schwindelt mir – was hat mich aufgeweckt? Wer hat den schweren Stein in Schnee verwandelt? Es rauscht mir in den Ohren, aber das ist es nicht, die eigene Stimme weckt keinen aus dem Schlaf. Mein Herz schlägt laut, nein, es ist nicht mein Herz, das dort an Fenster schlägt, es ist auch nicht der Wind, der an den Scheiben rüttelt, sie aufgerissen hat und doch von außen zuhält! Seid ihr's?

Wie hab ich zweifeln können? Das war nicht ich, der einen Augenblick lang dachte, du wärst der Wind, mein Engel. Wie weiß dein Kleid ist, Schnee liegt auf deinem Haar, er fällt so dicht da draußen, daß ich nicht sehen kann, wie viele hinter dir sind. Es müssen viele sein, ein Heer? Darf ich auch näher kommen? Soll ich beten? Wie still du stehst! Darf ich die angelaufenen Scheiben öffnen? Ich will dich besser sehen, sehen will ich, wie du fliegen kannst! Beweg dich doch! Wie groß sind deine Flügel? Was hast du an den Füßen? Ich will dir öffnen, komm herein, mein Engel, wirf alles um mit deinen breiten Flügeln und sei willkommen!

Aber schon während ich auf das Fenster zukam, sah ich, daß der Engel abwehrend den Kopf bewegte, und ich erinnerte mich, daß meine Schwester immer sagte, man dürfe ihnen nicht ins Gesicht schauen, und ich erkannte, daß er den Saum seines Kleides nicht berührt haben wollte. Wieder packten mich furchtbare Zweifel, daß er Schnee sein könnte, ein hergewehtes Tuch, ein Traum. Ich wollte seine ausgebreiteten Flügel sehen.

Ein Windstoß kam durch das Fenster. Hände voll Flocken drangen mir in Mund und Augen, unter einem Schleier von Schnee sah ich den Engel schwanken, als wollte er die Flügel ausbreiten. Aber die Flocken waren so dicht, daß man kaum schauen konnte, ein Schneesturm mußte ausgebrochen sein, wieder kamen schwere Windstöße herein, schlugen das Fenster zu und verschleierten mir den Blick. Als ich die Augen blankgerieben hatte und das Fenster wieder aufriß, sah ich nichts mehr als den Schnee, der in dem engen, hohen Hof tobte und tanzte, fiel und in riesigen Wirbeln über die Dächer wieder zurückgeschleudert wurde, wie das Heer der Engel, das nicht berührt sein will.

Haltet sie, haltet sie: Wachset hoch, ihr Dächer, ihr Häuser werdet Türme, daß sie nie mehr hinüberkommen, ihr Rauchfänge treibt Rauch auf ihren Weg, damit sie ihn nicht finden, ihr Schläfer zündet Lichter an, daß ihr sie seht. Wer holt sie ein, wer macht den Tag zum jüngsten?[5] Wer ruft sie mir zurück? Das ist die Zeit, zu der mich meine Schwester weckt, heut weck ich sie: »Wach auf!«

Es schlägt sechs, zögernd fällt eine Glocke nach der anderen ein. Das Zimmer ist jetzt finster, ich kann das Bett nicht finden. Der Schnee war viel zu hell für meine Augen, zu lange hab ich ihnen nachgeschaut, gleich hätt' ich meine Schwester wecken müssen: »Wach auf, du schläfst zu lang!«

Die Decke fällt zu Boden, und meine Schwester hält sie nicht mit ihren Fäusten fest, und meine Schwester stöhnt nicht und wehrt sich nicht, wie ich mich jeden Morgen gegen den kalten Boden und die Engel wehre, sie stößt mich nicht zurück, sie bleibt so still wie alle, die nicht schlafen, wenn man sie weckt, so sanft, wie nur die bleiben, die nicht hier sind.

Und sie ist still geblieben, als wir sie im Hof fanden und aus dem Schnee hoben, der sie schon bedeckt hatte.

SPIEGELGESCHICHTE

Wenn einer dein Bett aus dem Saal schiebt, wenn du siehst, daß der Himmel grün wird, und wenn du dem Vikar die Leichenrede ersparen willst, so ist es Zeit für dich, aufzustehen, leise, wie Kinder aufstehen, wenn am Morgen Licht durch die Läden schimmert, heimlich, daß es die Schwester nicht sieht — und schnell!

Aber da hat er schon begonnen, der Vikar, da hörst du seine Stimme, jung und eifrig und unaufhaltsam, da hörst du ihn schon reden. Laß es geschehen! Laß seine guten Worte untertauchen in dem blinden Regen. Dein Grab ist offen. Laß seine schnelle Zuversicht erst hilflos werden, daß ihr geholfen wird. Wenn du ihn läßt, wird er am Ende nicht mehr wissen, ob er schon begonnen hat. Und weil er es nicht weiß, gibt er den Trägern das Zeichen. Und die Träger fragen nicht viel und holen deinen Sarg wieder herauf. Und sie nehmen den Kranz vom Deckel und geben ihn dem jungen Mann zurück, der mit gesenktem Kopf am Rand des Grabes steht. Der junge Mann nimmt seinen Kranz und streicht verlegen alle Bänder glatt, er hebt für einen Augenblick die Stirne, und da wirft ihm der Regen ein paar Tränen über die Wangen. Dann bewegt sich der Zug die Mauern entlang wieder zurück. Die Kerzen in der kleinen, häßlichen Kapelle werden noch einmal angezündet und der Vikar sagt die Totengebete, damit du leben kannst. Er schüttelt dem jungen Mann heftig die Hand und wünscht ihm vor Verlegenheit viel Glück. Es ist sein erstes Begräbnis, und er errötet bis zum Hals hinunter. Und ehe er sich verbessern kann, ist auch der junge Mann verschwunden. Was bleibt jetzt zu tun? Wenn einer einem Trauernden viel Glück gewünscht hat, bleibt ihm nichts übrig, als den Toten wieder heimzuschicken.

Gleich darauf fährt der Wagen mit deinem Sarg die lange Straße wieder hinauf. Links und rechts sind Häuser, und an allen Fenstern stehen gelbe Narzissen, wie sie ja auch in alle Kränze gewunden sind, dagegen ist nichts zu machen. Kinder pressen ihre Gesichter an die verschlossenen Scheiben, es regnet, aber eins davon wird trotzdem aus der Haustür laufen. Es hängt sich hinten an den Leichenwagen, wird abgeworfen und bleibt zurück. Das Kind legt beide Hände über die Augen und schaut euch böse nach. Wo soll denn eins sich aufschwingen, solang es auf der Friedhofsstraße wohnt?

Dein Wagen wartet an der Kreuzung auf das grüne Licht. Es regnet schwächer. Die Tropfen tanzen auf dem Wagendach. Das Heu riecht aus der Ferne. Die Straßen sind frisch getauft, und der Himmel legt seine Hand auf alle Dächer. Dein Wagen fährt aus reiner Höflichkeit ein Stück neben der Trambahn her. Zwei kleine Jungen am Straßenrand wetten um ihre Ehre. Aber der auf die Trambahn gesetzt hat, wird verlieren. Du hättest ihn warnen können, aber um dieser Ehre willen ist noch keiner aus dem Sarg gestiegen.

Sei geduldig. Es ist ja Frühsommer. Da reicht der Morgen noch lange in die Nacht hinein. Ihr kommt zurecht. Bevor es dunkel wird und alle Kinder von den Straßenrändern verschwunden sind, biegt auch der Wagen schon in den Spitalshof ein, ein Streifen Mond fällt zugleich in die Einfahrt. Gleich kommen die Männer und heben deinen Sarg vom Leichenwagen. Und der Leichenwagen fährt fröhlich nach Hause.

Sie tragen deinen Sarg durch die zweite Einfahrt über den Hof in die Leichenhalle. Dort wartet der leere Sockel schwarz und schief und erhöht, und sie setzen den Sarg darauf und öffnen ihn wieder, und einer von ihnen flucht, weil die Nägel zu fest eingeschlagen sind. Diese verdammte Gründlichkeit!

Gleich darauf kommt auch der junge Mann und bringt den Kranz zurück, es war schon hohe Zeit. Die Männer ordnen die Schleifen und legen ihn vorne hin, da kannst du ruhig sein, der Kranz liegt gut. Bis morgen sind die welken Blüten frisch und schließen sich zu Knospen. Die Nacht über bleibst du allein, das Kreuz zwischen den Händen, und auch den Tag über wirst du viel Ruhe haben. Du wirst es später lange nicht mehr fertig bringen, so still zu liegen.

Am nächsten Tag kommt der junge Mann wieder. Und weil der Regen ihm keine Tränen gibt, starrt er ins Leere und dreht die Mütze zwischen seinen Fingern. Erst bevor sie den Sarg wieder auf das Brett heben, schlägt er die Hände vor das Gesicht. Er weint. Du bleibst nicht länger in der Leichenhalle. Warum weint er? Der Sargdeckel liegt nur mehr lose, und es ist heller Morgen. Die Spatzen schreien fröhlich. Sie wissen nicht, daß es verboten ist, die Toten zu erwecken. Der junge Mann geht vor deinem Sarg her, als stünden Gläser zwischen seinen Schritten. Der Wind ist kühl und verspielt, ein unmündiges Kind.

Sie tragen dich ins Haus und die Stiegen hinauf. Du wirst aus dem Sarg gehoben. Dein Bett ist frisch gerichtet. Der junge Mann starrt durch das Fenster in den Hof hinunter, da paaren sich zwei Tauben und gurren laut, geekelt wendet er sich ab.

Und da haben sie dich schon in das Bett zurückgelegt. Und sie haben dir das Tuch wieder um den Mund gebunden, und das Tuch macht dich so fremd. Der Mann beginnt zu schreien und wirft sich über dich. Sie führen ihn sachte weg. »Bewahret Ruhe!« steht an allen Wänden, die Krankenhäuser sind zur Zeit überfüllt, die Toten dürfen nicht zu früh erwachen.

Vom Hafen heulen die Schiffe. Zur Abfahrt oder zur Ankunft? Wer soll das wissen? Still! Bewahret Ruhe! Erweckt die Toten nicht, bevor es Zeit ist, die Toten haben einen leisen Schlaf. Doch die Schiffe heulen weiter. Und ein wenig später werden sie dir das Tuch vom Kopf nehmen müssen, ob sie es wollen oder nicht. Und sie werden dich waschen und deine Hemden wechseln, und einer von ihnen wird sich schnell über dein Herz beugen, schnell, solang du noch tot bist. Es ist nicht mehr viel Zeit, und daran sind die Schiffe schuld. Der Morgen wird schon dunkler. Sie öffnen deine Augen und die funkeln weiß. Sie sagen jetzt auch nichts mehr davon, daß du friedlich aussiehst, dem Himmel sei Dank dafür, es erstirbt ihnen im Mund. Warte noch! Gleich sind sie gegangen. Keiner will Zeuge sein, denn dafür wird man heute noch verbrannt.

Sie lassen dich allein. So allein lassen sie dich, daß du die Augen aufschlägst und den grünen Himmel siehst, so allein lassen sie dich, daß du zu atmen beginnst, schwer und röchelnd und tief, rasselnd wie eine Ankerkette, wenn sie sich löst. Du bäumst dich auf und schreist nach deiner Mutter. Wie grün der Himmel ist!

»Die Fieberträume lassen nach«, sagt eine Stimme hinter dir, »der Todeskampf beginnt!«

Ach die! Was wissen die?

Geh jetzt! Jetzt ist der Augenblick! Alle sind weggerufen. Geh, eh sie wiederkommen und eh ihr Flüstern wieder laut wird, geh die Stiegen hinunter, an dem Pförtner vorbei, durch den Morgen, der Nacht wird. Die Vögel schreien in der Finsternis, als hätten deine Schmerzen zu jubeln begonnen. Geh nach Hause! Und leg dich in dein eigenes Bett zurück, auch wenn es in den Fugen kracht und noch zerwühlt ist. Da wirst du schneller gesund! Da tobst du nur drei Tage lang gegen dich und trinkst dich satt am grünen Himmel, da stößt du nur drei Tage lang die Suppe weg, die dir die Frau von oben bringt, am vierten nimmst du sie.

Und am siebenten, der der Tag der Ruhe ist, am siebenten gehst du weg. Die Schmerzen jagen dich, den Weg wirst du ja finden. Erst links, dann rechts und wieder links, quer durch die Hafengassen, die so elend sind, daß sie nicht anders können, als zum Meer zu führen. Wenn nur der junge Mann in deiner Nähe wäre, aber der junge Mann ist nicht bei dir, im Sarg warst du viel schöner. Doch jetzt ist dein Gesicht verzerrt von Schmerzen, die Schmerzen haben zu jubeln aufgehört. Und jetzt steht auch der Schweiß wieder auf deiner Stirne, den ganzen Weg lang, nein, im Sarg, da warst du schöner!

Die Kinder spielen mit den Kugeln am Weg. Du läufst in sie hinein, du läufst, als liefst du mit dem Rücken nach vorn, und keines ist dein Kind. Wie soll denn auch eines davon dein Kind sein, wenn du zur Alten gehst, die bei der Kneipe wohnt? Das weiß der ganze Hafen, wovon die Alte ihren Schnaps bezahlt.

Sie steht schon an der Tür. Die Tür ist offen, und sie streckt dir ihre Hand entgegen, die ist schmutzig. Alles ist dort schmutzig. Am Kamin stehen die gelben Blumen, und das sind dieselben, die sie in die Kränze winden, das sind schon wieder dieselben. Und die Alte ist viel zu freundlich. Und die Treppen knarren auch hier. Und die Schiffe heulen, wohin du immer gehst, die heulen überall. Und die Schmerzen schütteln dich, aber du darfst nicht schreien. Die Schiffe dürfen heulen, aber du darfst nicht schreien. Gib der Alten das Geld für den Schnaps! Wenn du ihr erst das Geld gegeben hast, hält sie dir deinen Mund mit beiden Händen zu. Die ist ganz nüchtern von dem vielen Schnaps, die Alte. Die träumt nicht von den Ungeborenen. Die unschuldigen Kinder wagen's nicht, sie bei den Heiligen zu verklagen, und die schuldigen wagen's auch nicht. Aber du — du wagst es!

»Mach mir mein Kind wieder lebendig!«

Das hat noch keine von der Alten verlangt. Aber du verlangst es. Der Spiegel gibt dir Kraft. Der blinde Spiegel mit den Fliegenflecken läßt dich verlangen, was noch keine verlangt hat.

»Mach es lebendig, sonst stoß ich deine gelben Blumen um, sonst kratz ich dir die Augen aus, sonst reiß ich deine Fenster auf und schrei über die Gasse, damit sie hören müssen, was sie wissen, ich schrei — —«

Und da erschrickt die Alte. Und in dem großen Schrecken, in dem blinden Spiegel erfüllt sie deine Bitte. Sie weiß nicht, was sie tut, doch in dem blinden Spiegel gelingt es ihr. Die Angst wird furchtbar, und die Schmerzen beginnen endlich wieder zu jubeln. Und eh du schreist, weißt du das Wiegenlied: Schlaf, Kindlein, schlaf! Und eh du schreist, stürzt dich der Spiegel die finsteren Treppen wieder hinab und läßt dich gehen, laufen läßt er dich. Lauf nicht zu schnell!

Heb lieber deinen Blick vom Boden auf, sonst könnt es sein, daß du da drunten an den Planken um den leeren Bauplatz in einen Mann hineinläufst, in einen jungen Mann, der seine Mütze dreht. Daran erkennst du ihn. Das ist derselbe, der zuletzt an deinem Sarg die Mütze gedreht hat, da ist er schon wieder! Da steht er, als wäre er nie weggewesen, da lehnt er an den Planken. Du fällst in seine Arme. Er hat schon wieder keine Tränen, gib ihm von den deinen. Und nimm Abschied, eh du dich an seinen Arm hängst. Nimm von ihm Abschied! Du wirst es nicht vergessen, wenn er es auch vergißt: Am Anfang nimmt man Abschied. Ehe man miteinander weitergeht, muß man sich an den Planken um den leeren Bauplatz für immer trennen.

Dann geht ihr weiter. Es gibt da einen Weg, der an den Kohlenlagern vorbei zur See führt. Ihr schweigt. Du wartest auf das erste Wort, du läßt es ihm, damit dir nicht das letzte bleibt. Was wird er sagen? Schnell, eh ihr an der See seid, die unvorsichtig macht! Was sagt er? Was ist das erste Wort? Kann es denn so schwer sein, daß es ihn stammeln läßt, daß es ihn zwingt, den Blick zu senken? Oder sind es die Kohlenberge, die über die Planken ragen und ihm Schatten unter die Augen werfen und ihn mit ihrer Schwärze blenden? Das erste Wort – jetzt hat er es gesagt: es ist der Name einer Gasse. So heißt die Gasse, in der die Alte wohnt. Kann denn das sein? Bevor er weiß, daß du das Kind erwartest, nennt er dir schon die Alte, bevor er sagt, daß er dich liebt, nennt er die Alte. Sei ruhig! Er weiß nicht, daß du bei der Alten schon gewesen bist, er kann es auch nicht wissen, er weiß nichts von dem Spiegel. Aber kaum hat er's gesagt, hat er es auch vergessen. Im Spiegel sagt man alles, daß es vergessen sei. Und kaum hast du gesagt, daß du das Kind erwartest, hast du es auch verschwiegen. Der Spiegel spiegelt alles. Die Kohlenberge weichen hinter euch zurück, da seid ihr an der See und seht die weißen Boote wie Fragen an der Grenze eures Blicks, seid still, die See nimmt euch die Antwort aus dem Mund, die See verschlingt, was ihr noch sagen wolltet.

Von da ab geht ihr viele Male den Strand hinauf, als ob ihr ihn hinabgingt, nach Hause, als ob ihr weglieft, und weg, als gingt ihr heim.

Was flüstern die in ihren hellen Hauben? »Das ist der Todeskampf!« Die laßt nur reden.

Eines Tages wird der Himmel blaß genug sein, so blaß, daß seine Blässe glänzen wird. Gibt es denn einen anderen Glanz als den der letzten Blässe?

An diesem Tag spiegelt der blinde Spiegel das verdammte Haus. Verdammt nennen die Leute ein Haus, das abgerissen wird, verdammt nennen sie das, sie wissen es nicht besser. Es soll euch nicht erschrecken. Der Himmel ist jetzt blaß genug. Und wie der Himmel in der Blässe erwartet auch das Haus am Ende der Verdammung die Seligkeit. Vom vielen Lachen kommen leicht die Tränen. Du hast genug geweint. Nimm deinen Kranz zurück. Jetzt wirst du auch die Zöpfe bald wieder lösen dürfen. Alles ist im Spiegel. Und hinter allem, was ihr tut, liegt grün die See. Wenn ihr das Haus verlaßt, liegt sie vor euch. Wenn ihr durch die eingesunkenen Fenster wieder aussteigt, habt ihr vergessen. Im Spiegel tut man alles, daß es vergeben sei.

Von da ab drängt er dich, mit ihm hineinzugehen. Aber in dem Eifer entfernt ihr euch davon und biegt vom Strand ab. Ihr wendet euch nicht um. Und das verdammte Haus bleibt hinter euch zurück. Ihr geht den Fluß hinauf, und euer eigenes Fieber fließt euch entgegen, es fließt an euch vorbei. Gleich läßt sein Drängen nach. Und in demselben Augenblick bist du nicht mehr bereit, ihr werdet scheuer. Das ist die Ebbe, die die See von allen Küsten wegzieht. Sogar die Flüsse sinken zur Zeit der Ebbe. Und drüben auf der anderen Seite lösen die Wipfel endlich die Krone ab. Weiße Schindeldächer schlafen darunter.

Gib acht, jetzt beginnt er bald von der Zukunft zu reden, von den vielen Kindern und vom langen Leben, und seine Wangen brennen vor Eifer. Sie zünden auch die deinen an. Ihr werdet streiten, ob ihr Söhne oder Töchter wollt, und du willst lieber Söhne. Und er wollte sein Dach lieber mit Ziegeln decken, und du willst lieber — — — aber da seid ihr den Fluß schon viel zu weit hinauf gegangen. Der Schrecken packt euch. Die Schindeldächer auf der anderen Seite sind verschwunden, da drüben sind nur mehr Auen und feuchte Wiesen. Und hier? Gebt auf den Weg acht. Es dämmert — so nüchtern, wie es nur am Morgen dämmert. Die Zukunft ist vorbei. Die Zukunft ist ein Weg am Fluß, der in die Auen mündet. Geht zurück!

Was soll jetzt werden?

Drei Tage später wagt er nicht mehr, den Arm um deine Schultern zu legen. Wieder drei Tage später fragt er dich, wie du heißt, und du fragst ihn. Nun wißt ihr voneinander nicht einmal mehr die Namen. Und ihr fragt auch nicht mehr. Es ist schöner so. Seid ihr nicht zum Geheimnis geworden?

Jetzt geht ihr endlich wieder schweigsam nebeneinander her. Wenn er dich jetzt noch etwas fragt, so fragt er, ob es regnen wird. Wer kann das wissen? Ihr werdet immer fremder. Von der Zukunft habt ihr schon lange zu reden aufgehört. Ihr seht euch nur mehr selten, aber noch immer seid ihr einander nicht fremd genug. Wartet, seid geduldig. Eines Tages wird es so weit sein. Eines Tages ist er dir so fremd, daß du ihn auf einer finsteren Gasse vor einem offenen Tor zu lieben beginnst. Alles will seine Zeit. Jetzt ist sie da.

»Es dauert nicht mehr lang«, sagen die hinter dir, »es geht zu Ende!«

Was wissen die? Beginnt nicht jetzt erst alles?

Ein Tag wird kommen, da siehst du ihn zum erstenmal. Und er sieht dich. Zum erstenmal, das heißt: Nie wieder. Aber erschreckt nicht! Ihr müßt nicht voneinander Abschied nehmen, das habt ihr längst getan. Wie gut es ist, daß ihr es schon getan habt!

Es wird ein Herbsttag sein, voller Erwartung darauf, daß alle Früchte wieder Blüten werden, wie er schon ist, der Herbst, mit diesem hellen Rauch und mit den Schatten, die wie Splitter zwischen den Schritten liegen, daß du die Füße daran zerschneiden könntest, daß du darüberfällst, wenn du um Äpfel auf den Markt geschickt bist, du fällst vor Hoffnung und vor Fröhlichkeit. Ein junger Mann kommt dir zu Hilfe. Er hat die Jacke nur lose umgeworfen und lächelt und dreht die Mütze und weiß kein Wort zu sagen. Aber ihr seid sehr fröhlich in diesem letzten Licht. Du dankst ihm und wirfst ein wenig den Kopf zurück, und da lösen sich die aufgesteckten Zöpfe und fallen herab. »Ach«, sagt er, »gehst du nicht noch zur Schule?« Er dreht sich um und geht und pfeift ein Lied. So trennt ihr euch, ohne einander nur noch einmal anzuschauen, ganz ohne Schmerz und ohne es zu wissen, daß ihr euch trennt.

Jetzt darfst du wieder mit deinen kleinen Brüdern spielen, und du darfst mit ihnen den Fluß entlanggehen, den Weg am Fluß unter den Erlen, und drüben sind die weißen Schindeldächer wie immer zwischen den Wipfeln. Was bringt die Zukunft? Keine Söhne. Brüder hat sie dir gebracht, Zöpfe, um sie tanzen zu lassen, Bälle, um zu fliegen. Sei ihr nicht böse, es ist das Beste, was sie hat. Die Schule kann beginnen.

Noch bist du zu wenig groß, noch mußt du auf dem Schulhof während der großen Pause in Reihen gehen und flüstern und erröten und durch die Finger lachen. Aber warte noch ein Jahr, und du darfst wieder über die Schnüre springen und nach den Zweigen haschen, die über die Mauern hängen. Die fremden Sprachen hast du schon gelernt, doch so leicht bleibt es nicht. Deine eigene Sprache ist viel schwerer. Noch schwerer wird es sein, lesen und schreiben zu lernen, doch am schwersten ist es, alles zu vergessen. Und wenn du bei der ersten Prüfung alles wissen mußtest, so darfst du doch am Ende nichts mehr wissen. Wirst du das bestehen? Wirst du still genug sein? Wenn du genug Furcht hast, um den Mund nicht aufzutun, wird alles gut.

Du hängst den blauen Hut, den alle Schulkinder tragen, wieder an den Nagel und verläßt die Schule. Es ist wieder Herbst. Die Blüten sind lange schon zu Knospen geworden, die Knospen zu nichts und nichts wieder zu Früchten. Überall gehen kleine Kinder nach Hause, die ihre Prüfung bestanden haben, wie du. Ihr alle wißt nichts mehr. Du gehst nach Hause, dein Vater erwartet dich, und die kleinen Brüder schreien so laut sie können und zerren an deinem Haar. Du bringst sie zur Ruhe und tröstest deinen Vater.

Bald kommt der Sommer mit den langen Tagen. Bald stirbt deine Mutter. Du und dein Vater, ihr beide holt sie vom Friedhof ab. Drei Tage liegt sie noch zwischen den knisternden Kerzen, wie damals du. Blast alle Kerzen aus, eh sie erwacht! Aber sie riecht das Wachs und hebt sich auf die Arme und klagt leise über die Verschwendung. Dann steht sie auf und wechselt ihre Kleider.

Es ist gut, daß deine Mutter gestorben ist, denn länger hättest du es mit den kleinen Brüdern allein nicht machen können. Doch jetzt ist sie da. Jetzt besorgt sie alles und lehrt dich auch das Spielen noch viel besser, man kann es nie genug gut können. Es ist keine leichte Kunst. Aber das schwerste ist es noch immer nicht.

Das schwerste bleibt es doch, das Sprechen zu vergessen und das Gehen zu verlernen, hilflos zu stammeln und auf dem Boden zu kriechen, um zuletzt in Windeln gewickelt zu werden. Das schwerste bleibt es, alle Zärtlichkeiten zu ertragen und nur mehr zu schauen. Sei geduldig! Bald ist alles gut. Gott weiß den Tag, an dem du schwach genug bist.

Es ist der Tag deiner Geburt. Du kommst zur Welt und schlägst die Augen auf und schließt sie wieder vor dem starken Licht. Das Licht wärmt dir die Glieder, du regst dich in der Sonne, du bist da, du lebst. Dein Vater beugt sich über dich.

»Es ist zu Ende —« sagen die hinter dir, »sie ist tot!«

Still! Laß sie reden!

MONDGESCHICHTE

Niemand wußte, ob sie die Schönste in ihrem Heimatort war. Man kannte sie dort schon zu lange, um ein Urteil zu wagen. Aber sie war jedenfalls die Schönste ihres Landes, sie war Miss Finnland oder Miss England — wie das Land eben hieß —, und daran zweifelte keiner. Dem Einwand, daß nicht alle Schönen zur Wahl erschienen seien, konnte man entgegenhalten, daß nicht alle Schönen schön genug wären. Wer die Entscheidung fürchtet, fürchtet sie meistens mit Recht, und alle hatten das Recht zu kommen.

Bei der Wahl zur Schönsten des Erdteils fiel dieses Recht weg, hier kamen nur die Schönsten der Länder zusammen. Es fehlte eine einzige, die auf dem Flug dahin abgestürzt war, vielleicht wäre diese eine schöner gewesen, aber die Toten schieden aus, schon deshalb, weil sie kurz nach dem Tode zumeist schöner waren als die Lebendigen. In diesem Augenblick hätten sie ihnen gefährlich werden können. Aber von den Lebendigen war keine schöner als sie, und deshalb wurde sie auch zur Schönsten ihres Erdteils gewählt, sie war jetzt Miss Europa oder Miss Amerika, und die Idee, eine Schönheitskonkurrenz der Erdteile zu veranstalten, lag sehr nahe.

Mit einem Sonderzug und einem Dampfer, den drei Geleitboote begleiteten, wurde sie an den Ort der letzten Wahl gebracht. Jetzt hatten nicht einmal mehr die Schönsten der Länder das Recht zu kommen, sie mußten wie alle anderen Schönen zurückstehen. Die Salutschüsse und der Jubel der Menge auf dem Pier wurden über alle Rundfunkstationen gesendet.

Als sie zur Schönsten der Erde gewählt war, trat eine feierliche Stille ein. Dann sagte die bewegte Stimme des Sprechers: »Wir stellen Ihnen Miss Erde vor!« Und dann lachte jemand in der Nähe des Mikrophons. In demselben Augenblick sagte der erste Sprecher wieder: »Wir sehen uns gezwungen, die Sendung wegen technischer Störungen zu unterbrechen!«

Die Hörer aller Länder machten sich ihren Reim darauf. Die Schönste der Erde wollte nicht Miss Erde heißen. Sie erklärte, daß sie alle Mühe nicht um einer so lächerlichen Bezeichnung willen auf sich genommen hätte. Denn Miss Erde klang degradierend, es ließ sie an den Garten um ihr Elternhaus denken, an Kraut und Regenwürmer und an die runden, roten Wangen, die sie als Kind gehabt hatte. Wenn es nicht überhaupt an Friedhöfe erinnerte! Sie gab noch an diesem Abend eine Erklärung durch den Rundfunk, die sie nicht weiter begründete. Es schien ihr, daß allen Bewohnern der Erde ohne weiteres klar sein müsse, daß Miss Erde keine Schmeichelei war. Und den meisten war es auch ohne weiteres klar. Das Preisrichterkollegium einigte sich deshalb auf ›Miss Universum‹.

Dagegen machte ein einziger Preisrichter den Einwand geltend, daß man zur Welt auch Sonne, Mond und Sterne zählen müsse und daß niemand sicher wisse, ob nicht doch ein Stern bewohnt sei. Man könne nicht einen Menschen zur ›Miss Universum‹ erklären, ehe er sich nicht mit den Sternenmenschen gemessen habe.

Der Versuch, diesen Einwand als unsinnig abzutun, mißlang. Er erregte zuerst Gelächter, später Unwillen, und stürzte zuletzt das Preisrichterkollegium in große Verwirrung. Man konnte schließlich nicht die Milchstraße absuchen. Es ging im Grunde nur um eine Geste, darüber waren sich alle einig – eine Geste an das Weltall –, und man fand diese Geste.

Die Preisrichter beschlossen, die Schönste der Erde der Form halber auf den Mond zu schießen. Dort sollte sie eine Nacht lang bleiben. Wenn diese Nacht vorüber war und sich niemand gezeigt hatte, war der Form Genüge getan[1], und sie hieß Miss Universum.

Als es dämmerte, mußte die Polizei Kordons bilden, um dem Auto, worin die Schönste saß, sicheres Geleit zu geben[2]. Auf dem großen Platz, im halben Wind, unter dem hellroten Abendhimmel, auf dem schon der Mond stand, ergriff sie etwas Angst, aber sie gab nicht nach.

Die Mondflüge waren damals noch in ihren Anfangsstadien, und die Techniker und Arbeiter, die vorausgeschickt worden waren, um die ersten Landungsplätze zu bauen, beobachteten gespannt das Landen der Rakete. Sie überschlug sich, um den

Sturz zu mildern, kam auf und stand still. Sie hoben die Schönste der Erde auf den Mond, und die Preisrichter sprangen nach. Sie schlugen mit den Armen um sich, sagten einige laute und fröhliche Dinge, fragten, wo die Erde sei und verstummten endlich. Wie große fremde Vögel lehnten sie an einem Gerüst aus leichtem Holz und wunderten sich, daß es in den Fugen sang.[3]

Der Aufenthalt auf dem Mond rief in der Schönsten der Erde die Empfindung großer Einsamkeit hervor. Sie war schon auf Erden zur Zeit des Neumondes Anfällen von Traurigkeit unterworfen gewesen, aber da unten machte der Mondenschein von Nacht zu Nacht alles besser. Sie überdachte, daß es ein einziger Umstand war, der die Einsamkeit hier unerträglich werden ließ: es gab keine Hoffnung, vom Mond den Mond zu sehen. Und das Heer der Sterne tröstete darüber nicht hinweg.[4]

Um sich die Zeit zu vertreiben, ließ sie sich ein wenig auf den Wegen zwischen den Felsen umherführen, aber die Landschaft war eintönig. Die Preisrichter, ihre Begleiter, erbitterten sie im geheimen. Sie gingen an den Rändern der Krater dahin und ereiferten sich, weil hier nirgends Geländer angebracht waren. Oder sie sprachen von Plänen, die sie für morgen hatten, von Wiedersehensfesten, die sie auf der Erde feiern würden, aber ihre Reden klangen der Schönsten hier nur wie Gestammel sehr alter Männer, wie Erinnerungen, die allen Bemühungen zum Trotz nicht mehr deutlich wurden, wie die Sucht, es hinter sich zu bringen. Sie waren hier überflüssig. Denn, wenn der Mond wirklich unbewohnt ist — und keiner wagt, etwas anderes zu hoffen —, was haben sie dann hier noch zu entscheiden? dachte das Mädchen. Wer ist die Schönste? Ich oder ich? Und wenn ich die Schönste wäre, könnte doch ich sie nicht mehr sein. Plötzlich wechselte ihre Angst in den tiefsten Wunsch hinüber, der Mond möchte bewohnt sein.

Aber je länger sie schwieg, desto eifriger bemühten sich die Preisrichter, sie zu erheitern. Nur der eine, der den Rat gegeben hatte, sie auf den Mond zu schießen, ging voraus und sprach so wenig wie sie. Er erbitterte sie mehr als alle andern, und sie verdächtigte ihn längst, nur seinen Spott mit ihr getrieben zu haben. Er war es auch, der als erster das Unglaubliche bemerkte:

Als sie eben wieder in der Nähe des Landungsplatzes ankamen, kurz nachdem alle Uhren neun Uhr Erdzeit zeigten, eine Zeit, zu der man auf Erden die Abendgesellschaften ansetzte, erschien hinter einem Felsblock in einiger Entfernung ein schwacher Schatten, der sich zögernd fortpflanzte und schon ganz sichtbar noch einmal stillstand.

Die Herren von der Jury hofften, nur wenige Augenblicke lang, daß es vielleicht der Schatten einer Mondgrille[5] sei, eines Frosches oder eines Arbeiters auf dem Mond, aber es war deutlich der Schatten eines Mädchens mit gelöstem Haar in einem langen Kleid.

Ophelia bog um den Felsen. Sie trug ein weißes Hemd, wie es Kinder zu Weihnachtsvorstellungen über ihre heilen Glieder ziehen, und die Preisrichter sahen auf die Entfernung hin nicht deutlich, ob ihr das helle Mondlicht oder noch immer abströmendes Flußwasser die Linie gab. Vorsichtig wie von Uferstein zu Uferstein setzte sie einen Fuß vor den anderen, und bei jedem Schritt sprühten Tropfen von ihr. Algen und glänzende Wasserlilien schlangen sich um sie und schleiften hinter ihr her – haftende Jugend[6], Trauer. Wie hohe Bäume Mistelbüsche tragen, Nester ohne Vögel. Aber kommen nicht einmal im Jahr die Pflücker und holen sie von den Bäumen, damit unter Lampen und Türrahmen die Jugend hinüberwechselt?

Ophelia ging, den Kopf leicht gesenkt, die lange Bahn hinauf, beschrieb, ohne aufzuschauen, kleine Bogen um die Raketen und streichelte sie im Vorbeigehen, als ob es Lämmer wären. Sie wäre auch an den Preisrichtern und Arbeitern so vorübergegangen, aber die umringten sie, boten ihr Tee an, der noch von der Erde heiß war, und wollten mit ihr zu Musik aus den Erdsendern tanzen. Sie fragten sie, woher sie käme und wo sie die letzte Zeit verbracht hätte, wie es denn möglich sei, daß ein Mädchen wie sie hier so verlassen lebe – und ähnliche sinnlose Fragen. Und der eine, der geraten hatte, die Schönste der Erde auf den Mond zu schießen, sagte, das hätte er gleich gewußt.

Von Angst ergriffen, rief die Schönste der Erde, daß man nicht einmal Ophelia ohne richtige Wahl zur Schönsten der Welt erklären könne. Aber damit verriet sie sich. Als sie neben ihr stand, sahen alle, um wieviel schöner Ophelia war. Es wäre sinnlos gewesen, ihre Maße nachzumessen, sie erschienen ja von Atemzug zu Atemzug selbst als das Maß, nach dem die Schönste der Erde nur mühsam gemessen war — allein ihre bloßen Füße unter dem Hemdsaum!

Ophelia selbst war die einzige, die keinen Blick von der Schönsten der Erde abwandte. Und als der erste Preisrichter sich vor ihr verneigte und sie bat, ihren verräterischen Namen abzulegen — sie hieße von heute nacht ab Miss Universum —, erwiderte sie ängstlich, sie könne ihren Namen nicht ablegen, wenn ihn nicht eine andere annehme, ihr nasses Hemd und die Wasserlilien, die daran hafteten, und für sie in der Verbannung bliebe.

Das hieße — rief die Schönste der Erde zornig und schon im Einsteigen begriffen —, sie solle noch als Geschlagene in einem nassen Hemd, mit Wasserpflanzen, die sich bei jedem Schritt um ihre Füße schlängen, allein auf dem Mond bleiben?

Nein — sagte Ophelia und nahm sie bei den Händen —, das hieße — und dann lächelten beide über die ahnungslosen Preisrichter, die nicht wußten, daß der Titel der Miss Universum für immer mit dem Namen Ophelia verknüpft war, mit der Einsamkeit des Gestirns und mit dem Mondlicht, das wie fließendes Wasser über ihrem Gesicht lag. Aber — flüsterte Ophelia der Schönsten der Erde zu — sie würde ihr gerne ihren Namen lassen, wenn sie die Schönste des Weltalls sein wolle, die Algen und das Hemd!

Sie zog sie aus dem Kreis der Preisrichter, und ehe sie Zeit zu überlegen hatte, flogen der Schönsten der Erde die Ranken um Haar und Hals, schon roch sie den süßen Tang, sie ging einige Schritte auf dem brüchigen Stein und hörte das Schleifen der Algen hinter sich, sie ging der kalten, offenen Landschaft entgegen, die ihr Ruhe verhieß — da hörte sie Ophelia hinter sich rufen: »Das Hemd, das Hemd hast du vergessen!« Sie wandte sich um, sie griff seine Kühle und seine milde Feuchtigkeit, aber jetzt sah sie das Gesicht des Preisrichters, von dem alles abhing, über dem ihren. Er sagte: »Du bist schön!« Und er sah sie an.

Sie wunderte sich, wie gleichmütig sie blieb. Das Urteil eines Preisrichters, der nicht wußte, worüber er zu Gericht saß, bewegte sie nicht mehr. Sie warf die Algen ab und bat Ophelia, das Hemd zu behalten, sie schüttelte das Flußwasser, das über sie gesprüht war, aus ihren Kleidern.

Sie war entschlossen, sich auf die Erde zurückschießen zu lassen. Sie wollte noch in dieser Nacht im Rundfunk verkünden, daß sie auf den Titel der Miss Universum unter dieser Bedingung verzichte.

Aber Ophelia begleitete sie an die Rakete. Und als sie, schon im Einsteigen, ihr trauriges Gesicht sah, sprang sie noch einmal ab, umarmte sie und riß dabei eine lange Ranke von ihren Schultern, die an ihr haften blieb. So nahm sie, ehe sie den Schlag zuklappte und die Abschußvorrichtung löste, eine geringe Last ihrer Verlassenheit mit.

Auf dem Flugplatz umringten sie fremde Gestalten, Blitzlichter flammten auf, ihr Blick suchte den Mond, aber den hatte niemand an die Decke des Krankensaales gemalt.

»Weshalb haben Sie es getan?« fragte die Frau im nächsten Bett und neigte sich zu ihr. »Die haben lange gebraucht, ehe sie das Wasser aus Ihren Lungen brachten!« Und als sie sich daraufhin schlafend stellte, hörte sie eine andere Stimme sagen: »Still! Und nehmen Sie ihr das Zeug aus den Fingern, daß sie nicht gleich erinnert wird!« Aber sie hielt die Ranke so fest, daß sie, aus Furcht, sie zu wecken nicht daran rührten.

Als sie wieder aufsah, waren die Läden schon geöffnet.

»Warum sind Sie ins Wasser gegangen?« fragte die Neugierige wieder. Das Mädchen dachte an die vielen Preisrichter und an den einen, sie sah sein Gesicht noch einmal, von Flußwasser übersprüht, sie streckte die Arme aus, aber die Tropfen flossen ab. Zurück blieb nur mehr der Mond, der sich zart und deutlich von den Morgenwolken abhob.

»Warum —« begann die Frau ein drittes Mal.

»Weil ich häßlich bin. Ich war für einen nicht schön genug!«

»Ach –« sagte die Frau mitleidig.

Das Mädchen schloß die Augen wieder. Wie sollte sie es ihr erklären, daß es mit der Algenranke ein wenig von der Verlassenheit der Ophelia und ein wenig von der Schönheit besaß, die sich Preisrichtern nicht unterwirft?

SEEGEISTER

Den Sommer über beachtet man sie wenig oder hält sie für seinesgleichen, und wer den See mit dem Sommer verläßt, wird sie nie erkennen. Erst gegen den Herbst zu beginnen sie, sich deutlicher abzuheben. Wer später kommt oder länger bleibt, wer zuletzt selbst nicht mehr weiß, ob er noch zu den Gästen oder schon zu den Geistern gehört, wird sie unterscheiden. Denn es gibt gerade im frühen Herbst Tage, an denen die Grenzen im Hinüberwechseln noch einmal sehr scharf werden.

Da ist der Mann, der den Motor seines Bootes, kurz bevor er landen wollte, nicht mehr abstellen konnte. Er dachte zunächst, das sei weiter kein Unglück und zum Glück sei der See groß, machte kehrt und fuhr vom Ostufer gegen das Westufer zurück, wo die Berge steil aufsteigen und die großen Hotels stehen. Es war ein schöner Abend, und seine Kinder winkten ihm vom Landungssteg, aber er konnte den Motor noch immer nicht abstellen, tat auch, als wollte er nicht landen, und fuhr wieder gegen das flache Ufer zurück. Hier – zwischen entfernten Segelbooten, Ufern und Schwänen, die sich weit vorgewagt hatten – brach ihm angesichts der Röte, die die untergehende Sonne auf das östliche Ufer warf, zum erstenmal der Schweiß aus den Poren, denn er konnte seinen Motor noch immer nicht abstellen. Er rief seinen Freunden, die auf der Terrasse des Gasthofes beim Kaffee saßen, fröhlich zu, er wolle noch ein wenig weiterfahren, und sie riefen fröhlich zurück, das solle er nur. Als er zum drittenmal kam, rief er, er wolle nur seine Kinder holen, und seinen Kindern rief er zu, er wolle nur seine Freunde holen. Bald darauf waren Freunde und Kinder von beiden Ufern verschwunden, und als er zum viertenmal kam, rief er nichts mehr.

Er hatte entdeckt, daß sein Benzintank leck war, das Benzin war längst ausgelaufen, aber das Seewasser trieb seinen Motor weiter. Er dachte jetzt nicht mehr, das sei weiter kein Unglück und zum Glück sei der See groß. Der letzte Dampfer kam vorbei, und die Leute riefen ihm übermütig zu, aber er antwortete nicht, er dachte jetzt: »Wenn nur kein Boot mehr käme!« Und dann kam auch keins mehr. Die Jachten lagen mit eingezogenen Segeln in den Buchten, und der See spiegelte die Lichter der Hotels. Dichter Nebel begann aufzusteigen, der Mann fuhr kreuz und quer und dann die Ufer entlang, irgendwo schwamm noch ein Mädchen und warf sich den Wellen nach, die sein Boot warf, und ging auch an Land.

Aber er konnte, während er fuhr, den lecken Tank nicht abdichten und fuhr immer weiter. Jetzt erleichterte ihn nur mehr der Gedanke, daß sein Tank doch eines Tages den See ausgeschöpft haben müsse, und er dachte, es sei eine merkwürdige Art des Sinkens, den See aufzusaugen und zuletzt mit seinem Boot auf dem Trockenen zu sitzen. Kurz darauf begann es zu regnen, und er dachte auch das nicht mehr. Als er wieder an dem Haus vorbeikam, vor dem das Mädchen gebadet hatte, sah er, daß hinter einem Fenster noch Licht war, aber uferaufwärts, in den Fenstern, hinter denen seine Kinder schliefen, war es schon dunkel, und als er kurz danach wieder zurückfuhr, hatte auch das Mädchen sein Licht gelöscht. Der Regen ließ nach, aber das tröstete ihn nun nicht mehr.

Am nächsten Morgen wunderten sich seine Freunde, die beim Frühstück auf der Terrasse saßen, daß er schon so früh auf dem Wasser sei. Er rief ihnen fröhlich zu, der Sommer ginge zu Ende, man müsse ihn nützen, und seinen Kindern, die schon am frühen Morgen auf dem Landungssteg standen, sagte er dasselbe. Und als sie am nächsten Morgen eine Rettungsexpedition nach ihm ausschicken wollten, winkte er ab, denn er konnte doch jetzt, nachdem er sich zwei Tage lang auf die Fröhlichkeit hinausgeredet hatte, eine Rettungsexpedition nicht mehr zulassen; vor allem nicht angesichts des Mädchens, das täglich gegen Abend die Wellen erwartete, die sein Boot warf. Am vierten Tag begann er zu fürchten, daß man sich über ihn lustig machen könnte, tröstete sich aber bei dem Gedanken, daß auch dies vorüberginge. Und es ging vorüber.

Seine Freunde verließen, als es kühler wurde, den See, und auch die Kinder kehrten zur Stadt zurück, die Schule begann.

Das Motorengeräusch von der Uferstraße ließ nach, jetzt lärmte nur noch sein Boot auf dem See. Der Nebel zwischen Wald und Gebirge wurde täglich dichter, und der Rauch aus den Kaminen blieb in den Wipfeln hängen.

Als letztes verließ das Mädchen den See. Vom Wasser her sah er sie ihre Koffer auf den Wagen laden. Sie warf ihm eine Kußhand zu und dachte: ›Wäre er ein Verwunschener, ich wäre länger geblieben, aber er ist mir zu genußsüchtig!‹

Bald darauf fuhr er an dieser Stelle mit seinem Boot aus Verzweiflung auf den Schotter. Das Boot wurde längsseits aufgerissen und tankt von nun an Luft. In den Herbstnächten hören es die Einheimischen über ihre Köpfe dahinbrausen.

Oder die Frau, die vergeht, sobald sie ihre Sonnenbrille abnimmt.

Das war nicht immer so. Es gab Zeiten, zu denen sie mitten in der hellen Sonne im Sand spielte, und damals trug sie keine Sonnenbrille. Und es gab Zeiten, zu denen sie die Sonnenbrille trug, sobald ihr die Sonne ins Gesicht schien, und sie abnahm, sobald sie verging – und doch selbst nicht verging. Aber das ist lange vorbei, sie würde, wenn man sie fragte, selbst nicht sagen können, wie lange, und sie würde sich eine solche Frage auch verbitten.

Wahrscheinlich rührt all das Unglück von dem Tag her, an dem sie begann, die Sonnenbrille auch im Schatten nicht abzunehmen, von dieser Autofahrt im Frühsommer, als es plötzlich trüb wurde und jedermann die dunklen Gläser von den Augen nahm, nur sie nicht. Aber man sollte Sonnenbrillen niemals im Schatten tragen, sie rächen sich.

Als sie wenig später während einer Segelfahrt auf der Jacht eines Freundes die Sonnenbrille für einen Augenblick abnahm, fühlte sie sich plötzlich zu nichts werden, Arme und Beine lösten sich im Ostwind auf. Und dieser Ostwind, der die weißen Schaumkämme über den See trieb, hätte sie sicher wie nichts über Bord geweht, wäre sie nicht geistesgegenwärtig genug gewesen, ihre Sonnenbrille sofort wieder aufzusetzen. Derselbe Ostwind brachte aber zum Glück gutes Wetter, Sonne und große Hitze, und so fiel sie während der nächsten Wochen weiter nicht auf. Wenn sie abends tanzte, erklärte sie jedem, der es wissen wollte, sie trüge die Sonnenbrille gegen das starke Licht der Bogenlampen, und bald begannen viele, sie nachzuahmen. Freilich wußte niemand, daß sie die Sonnenbrille auch nachts trug, denn sie schlief bei offenem Fenster und hatte keine Lust, hinausgeweht zu werden oder am nächsten Morgen aufzuwachen und einfach nicht mehr da zu sein.

Als für kurze Zeit trübes Wetter und Regen einsetzte, versuchte sie noch einmal, ihre Sonnenbrille abzunehmen, geriet aber sofort in denselben Zustand der Auflösung, wie das erste Mal, und bemerkte, daß auch der Westwind bereit war, sie davonzutragen. Sie versuchte es daraufhin nie wieder, sondern hielt sich solange abseits und wartete, bis die Sonne wiederkam. Und die Sonne kam wieder. Sie kam den ganzen Sommer über immer wieder. Dann segelte sie auf den Jachten ihrer Freunde, spielte Tennis oder schwamm auch, mit der Sonnenbrille im Gesicht, ein Stück weit in den See hinaus. Und sie küßte auch den einen oder den anderen und nahm die Sonnenbrille dazu nicht ab. Sie entdeckte, daß sich das meiste auf der Welt auch mit Sonnenbrillen vor den Augen tun ließ. Solange es Sommer war.

Aber nun wird es langsam Herbst. Die meisten ihrer Freunde sind in die Stadt zurückgekehrt, nur einige wenige sind noch geblieben. Und sie selbst — was sollte sie jetzt mit Sonnenbrillen in der Stadt? Hier legt man ihre Not noch als persönliche Note[2] aus, und solange es sonnige Tage gibt und die letzten ihrer Freunde um sie sind, wird sich nichts ändern. Aber der Wind bläst mit jedem Tag stärker, Freunde und sonnige Tage werden mit jedem Tag weniger. Und es ist keine Rede davon, daß sie die Sonnenbrille jemals wieder abnehmen könnte.

Was soll geschehen, wenn es Winter wird?

Da waren auch noch drei Mädchen, die am Heck des Dampfers standen und sich über den einzigen Matrosen lustig machten, den es auf dem Dampfer gab. Sie stiegen am flachen Ufer ein, fuhren an das bergige Ufer hinüber, um dort Kaffee zu trinken, und dann wieder an das flache zurück.

Der Matrose beobachtete vom ersten Augenblick an, wie sie lachten und sich hinter der vorgehaltenen Hand Dinge zuriefen, die er wegen des großen Lärms, den der kleine Dampfer verursachte, nicht verstehen konnte. Aber er hatte den bestimmten Argwohn, daß es ihn und den Dampfer betraf; und als er von seinem Sitz neben dem Kapitän herunterkletterte, um die Fahrkarten zu markieren, und dabei in die Nähe der Mädchen kam, wuchs ihre Heiterkeit, so daß er seinen Argwohn bestätigt fand. Er fuhr sie an und fragte sie nach ihren Karten, aber sie hatten sie leider schon genommen, und so blieb ihm nichts anderes übrig, als die Karten zu markieren. Dabei fragte ihn eines der Mädchen, ob er auch den Winter über keine andere Beschäftigung hätte, und er antwortete: »Nein.« Gleich darauf begannen sie wieder zu lachen.

Aber von da ab hatte er die Empfindung, seine Mütze hätte das Schild verloren, und es fiel ihm schwer, den Rest der Karten zu markieren. Er kletterte zum Kapitän zurück, nahm aber diesmal nicht die Kinder der Ausflügler vom Verdeck mit hinauf, wie er es sonst tat. Und er sah den See von oben grün und ruhig liegen, und er sah den scharfen Einschnitt des Bugs – schärfer konnte auch ein Ozeanriese nicht die See durchschneiden –, aber das beruhigte ihn heute nicht. Vielmehr erbitterte ihn die Tafel mit der Aufschrift »Achtung auf den Kopf!«, die über dem Eingang zu den Kabinen angebracht war, und der schwarze Rauch, der aus dem Kamin bis zum Heck wehte und die flatternde Fahne schwärzte, als hätte er die Schuld daran.

Nein, er tat auch im Winter nichts anderes. Weshalb denn der Dampfer auch im Winter verkehre, fragten sie ihn, als er wieder in ihre Nähe kam. »Wegen der Post!« sagte er. In einem lichten Augenblick sah er sie dann ruhig miteinander sprechen, und das tröstete ihn für eine Weile; aber als der Dampfer anlegte und er die Seilschlinge über den Pflock auf dem kleinen Steg warf, begannen sie, obwohl er den Pflock haargenau getroffen hatte, wieder zu lachen, und konnten sich, solange er sie sah, nicht mehr beruhigen.

Eine Stunde später stiegen sie wieder ein, aber der Himmel hatte sich inzwischen verdüstert, und als sie in der Mitte des Sees waren, brach das Gewitter los. Das Boot begann zu schaukeln, und der Matrose ergriff die Gelegenheit beim Schopf, um den Mädchen zu zeigen, was er wert war. Er kletterte in seiner Ölhaut öfter als nötig über das Geländer und außen herum und wieder zurück. Dabei glitt er, da es inzwischen immer stärker regnete, auf dem nassen Holz aus und fiel in den See. Und weil er mit den Matrosen der Ozeanriesen gemeinsam hatte, daß er nicht schwimmen konnte, und der See mit der See, daß es sich darin ertrinken ließ, ertrank er auch.

Er ruht in Frieden, wie es auf seinem Grabstein steht, denn man zog ihn heraus. Aber die drei Mädchen fahren immer noch auf dem Dampfer und stehen am Heck und lachen hinter der vorgehaltenen Hand. Wer sie sieht, sollte sich von ihnen nicht beirren lassen. Es sind immer dieselben.

REDE UNTER DEM GALGEN

Geh weg! Was soll die Eile, wieviele hängst du heute? Bin ich nicht der letzte? Und dann? Was hast du vor, daß du so eilen mußt – legst du dich nieder? Ich auch, Bruder, ich auch, wir legen uns beide nieder. Daß du mir nachher nicht in meinem Traum erscheinst, du siehst so ängstlich aus, ich könnt erschrecken und wäre früher wach als du. Geh weg mit deinem Strick!

Und ihr da unten? Um welche Ecken hat euch der sanfte Morgenwind geblasen? Ihr solltet auch nicht um die Milch gehen, wenn es so windig ist, die Sanftmut täuscht. Bin ich nicht auch nur um die Milch gegangen, als mich die Mutter schickte? Aber ich bin zufrieden, ihr nicht?

Ihr steht zu sehr im Schatten, da unten in dem Hof ist es so finster. Kommt doch zu mir herauf, damit ihr seht, wie farbig eure eigenen Röcke sind, wie grell das Weiß von euren Blusen leuchtet – wie Feuer – soviel Unschuld erträgt der Himmel nicht! Kommt doch zu mir, daß eure Wangen röter brennen, und wartet nicht, bis erst die Sonne, vom Schweiß erstickt, in alle eure Winkel kriecht. Hier oben ist sie früher. Hier ist ihr Lachen ehrlich und ihre Glut noch kühl, hier spielt sie mit dem Wind, bevor sie ihn erstickt, hier ist er noch ihr Bruder, und ich sage euch: Hier weht die Sonne noch, hier glänzt die Luft. Und ist es auch der letzte Tag, so ist's die erste Stunde!

Laßt eure Kinder schreien, kommt herauf! Steht nicht so still da unten, starrt nicht so gierig her zu mir, Höfe und Scheunen hab ich angezündet, damit ich hier auf diese Bretter darf, und viele Nächte lang bin ich allein gewesen, in jeder so allein wie auf dem Grund der See, auf den kein Funken mehr von meinem eigenen Feuer fällt. Und ihr? Habt ihr gemordet? Nein! Habt ihr gebrannt, gestohlen? Nichts? Das glaub ich nicht, weshalb müßt ihr dann sterben, wenn ihr sterben müßt? Ich weiß, warum ich sterben muß, kommt doch herauf zu mir!

Ihr wollt noch immer nicht? Aber ich sage euch, die Bretter biegen sich, wenn ihr nur tanzen wollt, und alle Stricke geben nach, wenn man erst eure Leiber von den Galgen schneidet. Und früh am Abend schreien schon die Krähen eure Träume über alle Höfe, habt ihr keine Lust? Will keiner von euch wissen, weshalb er stirbt? Habt ihr gebrannt vor der Geburt, daß ihr zum Tod geboren seid? Gebt ihr's dann zu, daß eure Mütter euch schon in den Wehen das Ende leichter machen? Ihr gebt mir keine Antwort. Ihr steht so still da unten, als wärt ihr schon gehängt, als wärt ihr nur so viele, daß ihr enger steht und eure eigenen Leichen sich nicht zu Tode fallen. Bewegt euch doch!

Habt ihr die Milch vergessen? Eure Kinder schreien, geht nach Hause, sonst könnt es sein, daß eins ein Feuer macht, bevor's noch alt genug ist, um gehängt zu werden. Weint alle Lüsternheit aus euren Augen, damit sie nicht erschrecken. Seid ihr so gierig nach dem Schweigen, das mich erwartet? Versucht es doch, an eurem eigenen Hunger satt zu werden, geht heim, zerrt eure Schatten weiter!

Wieviele Jahre habt ihr noch zu leben? Wieviele Tage und wieviele Stunden? Viele, viele – wieviele noch? Ich will euch helfen. Darf ich euch aus den Fäusten lesen, darf ich die Kreuze auf euren Stirnen zählen? Ihr Mörder, die ihr nie gemordet habt, ihr Brandstifter, die ihr nicht brennt, ihr Diebe, die ihr es nicht wagt, zu stehlen – still! Wie lange lebst du noch, da unten, du, der links von dir, dich mein ich – wieviele Jahre hast du noch zu leben? Du weißt es nicht, soll ich dir's sagen? Eins! Und jetzt der rechts, wieviele Stunden? Eine! Und der daneben – wieviele Augenblicke? Einen, sag ich dir! Ihr glaubt mir's nicht? So schwör ich's bei dem Boden, der mir unter den Füßen weggezogen wird, und bei der Luft, die viel zu hell ist, als daß ich sie noch lang in meine finsteren Lungen saugen will, und bei dem Himmel, der sich unter meine Sohlen legt, wenn erst die Bretter weichen: Keiner von euch lebt nur um einen halben Vogelschrei länger als ich, keiner von euch lebt länger als noch einen Augenblick.

Versucht es doch, geht heim, setzt eure Füße voreinander, so oft ihr wollt – es bleibt doch jeder Schritt der letzte, den ihr eben tut, und jede Handvoll Luft die letzte, die ihr atmet, und jedes Mal, wenn ihr die heißen Köpfe von den Polstern hebt, ist es das letzte Mal. Zählt, zählt, es wird nicht mehr, macht, was ihr wollt, es bleibt doch eins in diesem hellen Licht, das nur der Abschied schenkt, in diesem Licht, das euch erst sichtbar macht und euch in eure Grenzen hebt wie in ein Maß, und immer neu erschafft.

Ist's nicht ein Henkersmahl vor jeder Nacht, wenn ihr zu Abend eßt? Und zeugt ihr nicht das Ende in euren Söhnen? Darum liebt ihr sie: Weil sie verurteilt sind wie ich, weil nur aus ihren Schatten der feste Boden wird.

Wo wäret ihr denn, wenn ihr kein Ende hättet? Wo? Nirgends wärt ihr, denn euer eigenes Ende hat euch geschaffen, wie mich der Strick um meinen Hals — wart Bruder, warte noch! Laß mich zu Ende reden, laß mich das Ende preisen in dieser hellen Früh! Laß mich dich lieben, Bruder mit dem ängstlichen Gesicht, die Angst ist's, die dein Grinsen Ehrfurcht werden läßt, das Licht vor allem Abschied, denn, bevor du warst, war schon dein Ende, Bruder. Und hat dich wachsen lassen, hat dich geborgen und gehütet und genährt, hat dich geliebt und deine Lügen wahrgemacht und macht sie heut noch wahr und liebt dich immer noch und birgt dich, hütet dich, und fiel es ab von dir, so wärst du nicht! So aber bist du, bist, weil du vergehst, weil du gewesen bist, drum wirst du sein, und weil das Ende nie ein Ende hat, so hast auch du kein Ende. Drum häng noch viele, Bruder, näh Flicken auf zerrissene Sohlen oder schreibe Verse — wie vergeblich wärst du, wenn nicht alles, was du tust, vergeblich wäre! Ging denn die Sonne auf, wenn sie nicht unterging? Laß mich dich lieben, Bruder, laß mich mein Ende lieben, das mich lebendig macht, das erst die weißen Tauben weiß sein läßt — seht ihr die weißen Tauben? Auch ihr da unten, eh ihr eure Köpfe dreht, sind sie vorbei. Mein Kopf ist schneller, meiner dreht sich leichter, nehmt doch den Strick um eure Hälse, daß ihr die weißen Tauben fliegen seht, den Wind, der sichtbar wird! Daß euch die roten Rosen röter leuchten, die grünen Blätter grüner — daß ihr die Früchte allemal für einmal sät und daß ihr erntet einfür allemal. Laßt mich jetzt ernten, Brüder, laßt mich den Himmel ernten, der nirgends höher ist als über Galgenhöfen. Die Tauben steigen, sobald die Krähen niederstürzen, die Nacht erlischt, mir bleibt der blanke Morgen, so blank wie ein Stück Gold, das ich nicht tauschen will. Ich will kein Haus dafür und keine Felder, nicht einen Abend will ich für diese Früh.

Es eilt. Schon kriecht die Sonne das Gebälk hinunter und drängt sich zwischen euch und macht sich billig[2], fällt tief und tiefer, steigt, fällt und will sich wehren, steigt höher und fällt durch ihr eigenes Steigen nur immer tiefer über euch, bis sie am hohen Mittag erst erkennt, daß nur ihr eigener Fall sie wieder aus dem Staub reißt, daß sie erst sinken muß, um über ihre eigenen Schatten den Himmel wieder zu erreichen — doch solang wart ich nicht. Mich soll das Licht nicht brennen, mir soll es nie mehr den Schweiß aus allen Poren treiben. Stoßt jetzt die Bretter unter meinen Füßen weg und geht! Was steht ihr noch und reißt mir meine Lippen mit eurem Gaffen[3] wund? Verbrannt hab ich, was nicht das meine war, ein Lied hab ich gesungen, das nicht von mir ist, drum vergeßt mich, hört ihr — ich will in eurer Erinnerung nicht bleiben, sie langt mir nicht[4], sie fließt nicht über, läßt mich nicht auferstehen, im Lallen eurer Enkel will ich nicht leben — nein — und will doch leben, drum vergeßt, laßt mir das Fleisch von meinen Knochen faulen, damit sie leuchten können, leben will ich!

Schnell, zieh den Strick noch enger, damit's mich nie mehr nach dem Schweiß gelüstet und nach dem Schrecken in der halben Nacht[5]. Daß es mich nicht verlangt, noch einmal durch das Tor zu gehen, mit euch zu gehen, nein, das Land ist hier! Die hellsten Felder wachsen aus dem Abschied, die tiefsten Wälder treiben aus dem Galgenholz.

So glaubt mir doch, kommt her zu mir, laßt euch nur lieben, Brüder, von einem, den ihr nicht mehr täuschen könnt, von einem, der es wagt, euch, wie ihr seid, in seinen Schlaf zu nehmen. Kommt, kommt, bewegt euch endlich und reißt die Gasse für euch selber auf, Platz für den Boten, den der König schickt!

Platz für den Boten — still, äfft mich nicht nach — Platz, Platz — für wen? Was willst du, Bruder? Willst du mich höhnen, daß du tust, worum ich bitte? Was bringst du mir, was hältst du in den leeren Händen? Sprich – nein, sag nichts, laß mein Gelächter nie zu Tränen werden und meine Tränen nie mehr zum Gelächter. Laß deinen eigenen Atem das Wort erdrosseln, das du sagen willst. An deinen irren Augen seh ich, was du bringst: Heißt nicht dein Urteil Gnade? Ich soll leben?

Geh zurück! Sag dem, der dich zu mir schickt, ich will's nicht wissen. Ich hab's verlernt, dem Land die Furcht zu glauben, dem Mond sein Licht, dem Frieden seine Ruh. Sag ihm, ich ließ mich nicht zu seinem Narren machen, Burgen aus nassem Sand will ich nicht für ihn bauen, die Flut an seinen Küsten ist mir zu stark geworden. Und auf der Ebbe, die sie gnädig schenkt, pflanz ich den Hafer nicht. Sag ihm, sein Land läg da, wo seine Flut für einen Augenblick zurückgewichen wär, und wenn ich alle Scheunen verbrennen würde, so könnt das Licht nicht reichen, wenn sie erst wiederkommt. Sag ihm, ich wollte lieber mit offenen Augen schlafengehen, als mit geschlossenen wachen, ich wär den König suchen gegangen, der keine Narren braucht. Die Engel lachen nicht, drum geh, steh nicht, als wolltest du mich spiegeln!

Wer bist du? Bist du Verlassenheit, aus der die Gier sich immer wieder zeugt? Zu dürftig bist du, als daß du mir noch einmal schenken könntest, was ich nicht verlange, die Gier aus der Verlassenheit will ich nicht sein! Heb nicht so lässig deine Schultern, sag meinem Henker lieber, daß er mich hängen soll, damit ich hier verschwinde, damit du endlich wieder zu dir selber reden kannst, sag ihm – wo ist er hin? Wo ist mein Henker?

Mein Henker ist gegangen, wie ein Dieb ist er gegangen und hat den Strick von meinem Hals gestohlen, ruft ihn zurück! Den Strick soll er mir wiedergeben, den roten Striemen darf er mir nicht nehmen, bevor ich ihn noch habe, die bloße Armut darf mir keiner aus den Händen winden!

Bleibt, bleibt, schleicht euch nicht weg! Laßt mich jetzt nicht allein in der geschenkten Trauer, im Schein der Gnade, die kein Erbarmen hat. Zum zweitenmal bin ich zurückgestoßen in das Verlangen, das ich nicht verlangte, noch immer hat der

Himmel mich nicht für leicht genug befunden, daß ich den Boden unter meinen Füßen verlieren darf, weiter muß ich auf Steinen gehen, auf dieser Erde, die mich nicht fest genug an sich zieht, als daß ich in ihr ruhen könnte und mich doch nicht zu anderen Sternen läßt! Zum zweitenmal bin ich zur Welt gekommen, wer säugt mich jetzt, wer sagt mir noch einmal, der Mond wäre eine Lampe, der Himmel wäre ein Zelt? Wer lehrt mich, der ich nur das Meer um alle Felsen kenne, dem Fels im Meer zu trauen?

Laßt mich jetzt nicht allein, nehmt mich mit euch! Sagte ich nicht, als noch die Schlinge um meinen Hals gelegt war, daß euer Leben nicht länger als das meine sei? Sagte ich nicht, daß jeder eurer Schritte der letzte bliebe?

So bleiben es auch die meinen, wenn ich mit euch gehe. So hebt die Gnade nicht das Urteil auf, das Urteil nicht die Gnade, so ragt das Holz nicht nutzlos, so wirft es seinen Schatten über uns alle und teilt den Schein der Lichter, wo er ruht.

Flieht nicht vor mir, habt keine Angst, daß ich noch einmal Feuer an eure Ernte lege – sie wird zu Licht und Asche auch ohne mich! Ich will es ruhig erwarten.

Ich will den Hafer im Sand der Ebbe säen und in verbrannte Scheunen ernten, und ich will Burgen bauen, der Flut zum Fraß. Ich will ein Narr für meinen König sein, ich will in seinen traurigen Gärten lustwandeln, ich will geborgen sein in seiner Flucht. Ich will die Segel spannen in der stillen Luft, will meinen Pflug durch alle Sümpfe treiben. Ich will auf morgen warten, das heute ist, und meine Söhne dürfen mich verlassen. Ich will die Mütze ziehen, wenn die gefangenen Klöppel in den Glocken toben, und meiner Wege gehen, als ging ich heim.

Ob er das Zelt oder das Feuer ist, an dem das Zelt verbrennt, ich will den Himmel ernten, der verheißen ist.

WO ICH WOHNE

Ich wohne seit gestern einen Stock tiefer. Ich will es nicht laut sagen, aber ich wohne tiefer. Ich will es deshalb nicht laut sagen, weil ich nicht übersiedelt bin. Ich kam gestern abends aus dem Konzert nach Hause, wie gewöhnlich Samstag abends, und ging die Treppe hinauf, nachdem ich vorher das Tor aufgesperrt und auf den Lichtknopf gedrückt hatte. Ich ging ahnungslos die Treppe hinauf – der Lift ist seit dem Krieg nicht in Betrieb –, und als ich im dritten Stock angelangt war, dachte ich: »Ich wollte, ich wäre schon hier!« und lehnte mich für einen Augenblick an die Wand neben der Lifttür. Gewöhnlich überfällt mich im dritten Stock eine Art von Erschöpfung, die manchmal so weit führt, daß ich denke, ich müßte schon vier Treppen gegangen sein. Aber das dachte ich diesmal nicht, ich wußte, daß ich noch ein Stockwerk über mir hatte. Ich öffnete deshalb die Augen wieder, um die letzte Treppe hinaufzugehen, und sah in demselben Augenblick mein Namensschild an der Tür links vom Lift. Hatte ich mich doch geirrt und war schon vier Treppen gegangen? Ich wollte auf die Tafel schauen, die das Stockwerk bezeichnete, aber gerade da ging das Licht aus.

Da der Lichtknopf auf der anderen Seite des Flurs ist, ging ich die zwei Schritte bis zu meiner Tür im Dunkeln und sperrte auf. Bis zu meiner Tür? Aber welche Tür sollte es denn sein, wenn mein Name daran stand? Ich mußte eben doch schon vier Treppen gegangen sein.

Die Tür öffnete sich auch gleich ohne Widerstand, ich fand den Schalter und stand in dem erleuchteten Vorzimmer, in meinem Vorzimmer, und alles war wie sonst: die roten Tapeten, die ich längst hatte wechseln wollen, und die Bank, die daran gerückt war, und links der Gang zur Küche. Alles war wie sonst. In der

Küche lag das Brot, das ich zum Abendessen nicht mehr gegessen hatte, noch in der Brotdose. Es war alles unverändert. Ich schnitt ein Stück Brot ab und begann zu essen, erinnerte mich aber plötzlich, daß ich die Tür zum Flur nicht geschlossen hatte, als ich hereingekommen war, und ging ins Vorzimmer zurück, um sie zu schließen.

Dabei sah ich in dem Licht, das aus dem Vorzimmer auf den Flur fiel, die Tafel, die das Stockwerk bezeichnete. Dort stand: Dritter Stock. Ich lief hinaus, drückte auf den Lichtknopf und las es noch einmal. Dann las ich die Namensschilder auf den übrigen Türen. Es waren die Namen der Leute, die bisher unter mir gewohnt hatten. Ich wollte dann die Stiegen hinaufgehen, um mich zu überzeugen, wer nun neben den Leuten wohnte, die bisher neben mir gewohnt hatten, ob nun wirklich der Arzt, der bisher unter mir gewohnt hatte, über mir wohnte, fühlte mich aber plötzlich so schwach, daß ich zu Bett gehen mußte.

Seither liege ich wach und denke darüber nach, was morgen werden soll. Von Zeit zu Zeit bin ich immer noch verlockt, aufzustehen und hinaufzugehen und mir Gewißheit zu verschaffen. Aber ich fühle mich zu schwach, und es könnte auch sein, daß von dem Licht im Flur da oben einer erwachte und herauskäme und mich fragte: »Was suchen Sie hier?« Und diese Frage, von einem meiner bisherigen Nachbarn gestellt, fürchte ich so sehr, daß ich lieber liegen bleibe, obwohl ich weiß, daß es bei Tageslicht noch schwerer sein wird, hinaufzugehen.

Nebenan höre ich die Atemzüge des Studenten, der bei mir wohnt; er ist Schiffsbaustudent, und er atmet tief und gleichmäßig. Er hat keine Ahnung von dem, was geschehen ist. Er hat keine Ahnung, und ich liege hier wach. Ich frage mich, ob ich ihn morgen fragen werde. Er geht wenig aus, und wahrscheinlich ist er zu Hause gewesen, während ich im Konzert war. Er müßte es wissen. Vielleicht frage ich auch die Aufräumefrau.

Nein. Ich werde es nicht tun. Wie sollte ich denn jemanden fragen, der mich nicht fragt? Wie sollte ich auf ihn zugehen und ihm sagen: »Wissen Sie vielleicht, ob ich nicht gestern noch eine Treppe höher wohnte?« Und was soll er darauf sagen? Meine Hoffnung bleibt, daß mich jemand fragen wird, daß mich morgen jemand fragen wird: »Verzeihen Sie, aber wohnten Sie nicht gestern noch einen Stock höher?« Aber wie ich meine Aufräumefrau kenne, wird sie nicht fragen. Oder einer meiner früheren Nachbarn: »Wohnten Sie nicht gestern noch neben uns?« Oder einer meiner neuen Nachbarn. Aber wie ich sie kenne, werden sie alle nicht fragen. Und dann bleibt mir nichts übrig, als so zu tun, als hätte ich mein Leben lang schon einen Stock tiefer gewohnt.

Ich frage mich, was geschehen wäre, wenn ich das Konzert gelassen hätte. Aber diese Frage ist von heute an ebenso müßig geworden wie alle anderen Fragen. Ich will einzuschlafen versuchen.

Ich wohne jetzt im Keller. Es hat den Vorteil, daß meine Aufräumefrau sich nicht mehr um die Kohlen hinunterbemühen muß, wir haben sie nebenan, und sie scheint ganz zufrieden damit. Ich habe sie im Verdacht, daß sie deshalb nicht fragt, weil es ihr so angenehmer ist. Mit dem Aufräumen hat sie es niemals allzu genau genommen; hier erst recht nicht. Es wäre lächerlich, von ihr zu verlangen, daß sie den Kohlenstaub stündlich von den Möbeln fegt. Sie ist zufrieden, ich sehe es ihr an. Und der Student läuft täglich pfeifend die Kellertreppe hinauf und kommt abends wieder. Nachts höre ich ihn tief und regelmäßig atmen. Ich wollte, er brächte eines Tages ein Mädchen mit, dem es auffällig erschiene, daß er im Keller wohnt, aber er bringt kein Mädchen mit.

Und auch sonst fragt niemand. Die Kohlenmänner, die ihre Lasten mit lautem Gepolter links und rechts in den Kellern abladen, ziehen die Mützen und grüßen, wenn ich ihnen auf der Treppe begegne. Oft nehmen sie die Säcke ab und bleiben stehen, bis ich an ihnen vorbei bin. Auch der Hausbesorger grüßt freundlich, wenn er mich sieht, ehe ich zum Tor hinausgehe. Ich dachte zuerst einen Augenblick lang, daß er freundlicher grüße als bisher, aber es war eine Einbildung. Es erscheint einem manches freundlicher, wenn man aus dem Keller steigt.

Auf der Straße bleibe ich stehen und reinige meinen Mantel vom Kohlenstaub, aber es bleibt nur wenig daran haften. Es ist auch mein Wintermantel, und er ist dunkel. In der Straßenbahn überrascht es mich, daß der Schaffner mich behandelt wie die übrigen Fahrgäste und niemand von mir abrückt. Ich frage mich, wie es sein soll, wenn ich im Kanal wohnen werde. Denn ich mache mich langsam mit diesem Gedanken vertraut.

Seit ich im Keller wohne, gehe ich auch an manchen Abenden wieder ins Konzert. Meist samstags, aber auch öfter unter der Woche. Ich konnte es schließlich auch dadurch, daß ich nicht ging, nicht hindern, daß ich eines Tages im Keller war. Ich wundere mich jetzt manchmal über meine Selbstvorwürfe, über all die Dinge, mit denen ich diesen Abstieg zu Beginn in Beziehung brachte. Zu Beginn dachte ich immer: »Wäre ich nur nicht ins Konzert gegangen oder hinüber auf ein Glas Wein!« Das denke ich jetzt nicht mehr. Seit ich im Keller bin, bin ich ganz beruhigt und gehe um Wein, sobald ich danach Lust habe. Es wäre sinnlos, die Dämpfe im Kanal zu fürchten, denn dann müßte ich ja ebenso das Feuer im Innern der Erde zu fürchten beginnen – es gibt zu vieles, wovor ich Furcht haben müßte. Und selbst wenn ich immer zu Hause bliebe und keinen Schritt mehr auf die Gasse täte, würde ich eines Tages im Kanal sein.

Ich frage mich nur, was meine Aufräumefrau dazu sagen wird. Es würde sie jedenfalls auch des Lüftens entheben. Und der Student stiege pfeifend durch die Kanalluken hinauf- und wieder hinunter. Ich frage mich auch, wie es dann mit dem Konzert sein soll und mit dem Glas Wein. Und wenn es dem Studenten gerade dann einfiele, ein Mädchen mitzubringen? Ich frage mich, ob meine Zimmer auch im Kanal noch dieselben sein werden. Bisher sind sie es, aber im Kanal hört das Haus auf. Und ich kann mir nicht denken, daß die Einteilung in Zimmer und Küche und Salon und Zimmer des Studenten bis ins Erdinnere geht.

Aber bisher ist alles unverändert. Die rote Wandbespannung und

die Truhe davor, der Gang zur Küche, jedes Bild an der Wand, die alten Klubsessel und die Bücherregale – jedes Buch darinnen. Draußen die Brotdose und die Vorhänge an den Fenstern.
Die Fenster allerdings, die Fenster sind verändert. Aber um diese Zeit hielt ich mich meistens in der Küche auf, und das Küchenfenster ging seit jeher auf den Flur. Es war immer vergittert. Ich habe keinen Grund, deshalb zum Hausbesorger zu gehen, und noch weniger wegen des veränderten Blicks. Er könnte mir mit Recht sagen, daß ein Blick nicht zur Wohnung gehöre, die Miete beziehe sich auf die Größe, aber nicht auf den Blick. Er könnte mir sagen, daß mein Blick meine Sache sei.
Und ich gehe auch nicht zu ihm, ich bin froh, solange er freundlich ist. Das einzige, was ich einwenden könnte, wäre vielleicht, daß die Fenster um die Hälfte kleiner sind. Aber da könnte er mir wiederum entgegnen, daß es im Keller nicht anders möglich sei. Und darauf wüßte ich keine Antwort. Ich könnte ja nicht sagen, daß ich es nicht gewohnt bin, weil ich noch vor kurzem im vierten Stock gewohnt habe. Da hätte ich mich schon im dritten Stock beschweren müssen. Jetzt ist es zu spät.

MEIN GRÜNER ESEL

Ich sehe täglich einen grünen Esel über die Eisenbahnbrücke gehen, seine Hufe klappern auf den Bohlen, sein Kopf ragt über das Geländer. Ich weiß nicht, woher er kommt, ich konnte es noch nie beobachten. Ich vermute aber, aus dem aufgelassenen Elektrizitätswerk jenseits der Brücke, von wo die Straße pfeilgerade nach Nordwesten geht (einer Weltrichtung, mit der ich ohnehin nie etwas anfangen konnte) und in dessen verfallener Einfahrt abends manchmal Soldaten stehen, um ihre Mädchen zu umarmen, sobald es finster geworden ist und nur mehr ein schwacher Fetzen Licht über dem rostigen Dach liegt.Aber mein Esel kommt früher. Nicht daß er schon zu Mittag käme oder kurz danach, wenn die Sonne noch grell in jeden einzelnen der verlassenen Höfe drüben sticht und zwischen die Ritzen der vernagelten Fenster. Nein, er kommt mit dem ersten unmerklichen Nachlassen des Lichtes, da sehe ich ihn, meistens schon oben auf dem Steg oder während er die Stegtreppen hinaufsteigt. Nur ein einziges Mal sah ich ihn schon auf der andern Bahnseite über das Pflaster klappern, aber er sah eilig aus, als hätte er sich verspätet. Damals schien es mir übrigens, als käme er geradewegs aus dem halboffenen und in der Hitze stillstehenden Tor des alten Elektrizitätswerks.

Um Bahnbedienstete oder sonst Leute, die die Brücke passieren, kümmert er sich nicht, er weicht ihnen höflich aus, und auch das Stampfen und Pfeifen der Züge, die zuweilen, während er darüber geht, unter der Brücke durchfahren, läßt ihn gleichgültig. Oft wendet er den Kopf seitwärts und schaut hinunter, auch zumeist dann, wenn kein Zug kommt, und nie für sehr lange. Mir scheint es, als wechselte er dann einige Worte mit den Geleisen, aber das ist wohl nicht möglich. Und zu welchem Zweck auch?

Ist er jenseits der Mitte der Brücke angelangt, so verschwindet er nach einigem Zögern, ohne umzukehren. Darüber, nämlich über die Art seines Verschwindens, täusche ich mich nicht. Ich verstehe das auch ganz gut, weshalb sollte er sich die Mühe nehmen und umkehren, da er den Weg doch kennt?

Aber wie kommt er, von wo kommt er, wo entsteht er? Hat er eine Mutter oder ein Lager von Heu in einem der stillen Höfe da drüben? Oder bewohnt er eines der ehemaligen Büros und hat darin eine Ecke, die ihm vertraut ist, ein Stück Wand? Oder entsteht er, wie Blitze entstehen, zwischen den ehemaligen Hochspannungsmasten und den herabhängenden Leitungen? Ich weiß freilich nicht genau, wie Blitze entstehen, ich will es auch nicht wissen, außer mein Esel entstünde wie sie. Mein Esel? Das ist ein großes Wort. Aber ich möchte es nicht zurücknehmen. Sicher ist es möglich, daß auch andere ihn sehen, aber ich werde sie nicht fragen. Mein Esel, den ich nicht füttere, nicht tränke, dessen Fell ich nicht glatt reibe und den ich nicht tröste. Dessen Umrisse sich aber gegen die fernen Gebirge so unzweifelhaft abheben wie die Gebirge selbst gegen den Nachmittag. Für meine Augen, mein Esel also. Weshalb soll ich nicht bekennen, daß ich von dem Augenblick lebe, in dem er kommt? Daß seine Erscheinung mir die Luft zum Atem schafft, gerade er, sein Umriß, die Schattierung seines Grüns und seine Art, den Kopf zu senken und auf die Geleise hinunterzuschauen? Ich dachte schon, daß er vielleicht hungrig wäre und nach den Gräsern und spärlichen Kräutern ausschaute, die zwischen den Bahnschwellen wachsen. Aber man soll sein Mitleid bezähmen. Ich bin alt genug dazu, ich werde ihm kein Bündel Heu auf die Brücke legen. Er sieht auch nicht schlecht aus, nicht verhungert und nicht gepeinigt – auch nicht besonders gut. Aber es gibt sicher wenige Esel, die besonders gut aussehen. Ich möchte nicht in die alten Fehler verfallen, ich möchte nicht zuviel von ihm verlangen. Ich will mich damit begnügen, ihn zu erwarten, oder vielmehr: ihn nicht zu erwarten. Denn er kommt nicht regelmäßig. Vergaß ich es zu sagen? Er blieb schon zweimal aus. Ich schreibe es zögernd nieder, denn vielleicht ist das sein Rhythmus, vielleicht gibt es so etwas wie zweimal für ihn gar nicht, und er kam immer, er kam regelmäßig und wäre verwundert über diese Klage. Wie er auch sonst über vieles verwundert zu sein scheint. Verwunderung, ja, das ist es, was ihn am besten bezeichnet, was ihn auszeichnet, glaube ich. Ich will lernen, mich auf Vermutungen zu beschränken, was ihn betrifft, später auch auf weniger. Aber bis dahin gibt es noch vieles, was mich beunruhigt. Mehr als sein möglicher Hunger zum Beispiel, daß ich den Ort seines Schlafes nicht kenne, seiner Ruhe und damit vielleicht seiner Geburt. Denn er benötigt die Ruhe. Es könnte sogar sein, daß er jedesmal den Tod benötigt, ich weiß es nicht. Ich halte es für anstrengend, jeden Abend so grün wie er über die Brücke zu gehen, so zu schauen wie er und im rechten Moment zu verschwinden.

Ein solcher Esel braucht Ruhe, viel Ruhe. Und ob ein altes Elektrizitätswerk dazu der richtige Ort ist, ob es genügt? Ob die herabhängenden Leitungsdrähte ihn sanft genug streicheln, sobald er nicht da ist, während seiner Nacht? Denn seine Nacht ist länger als die unsere. Und ob die Umrisse der Berge ihm ihre Freundschaft genügend bezeigen während seines Tages? Denn sein Tag ist kürzer. Wie immer, ich weiß es nicht. Ich werde es auch nicht erfahren, denn mein Ziel kann nur sein, immer weniger von ihm zu wissen, so viel habe ich während des halben Jahres, das er nun kommt, schon gelernt. Von ihm gelernt. Und so werde ich es vielleicht auch ertragen lernen, wenn er eines Tages nicht mehr kommt, denn das befürchte ich. Er könnte vielleicht mit der Kälte ausbleiben, und das könnte ebenso zu seinem Kommen gehören wie sein Kommen selbst. Bis dahin will ich es lernen, so wenig von ihm zu wissen, daß ich auch sein Ausbleiben ertrage, daß ich dann meine Augen nicht mehr auf die Brücke richte.

Aber bis ich soweit bin, träume ich manchmal davon, daß er einen grünen Vater und eine grüne Mutter haben könnte, ein Bündel Heu in einem der Höfe da drüben und in den Ohren das Gelächter der jungen Leute, die sich in die Einfahrt drücken. Daß er manchmal schläft, anstatt zu sterben.

DIE PUPPE

Mit den Kleidern zu Bett und niemand, der mein wächsernes Gesicht gewärmt hätte, Spuren des Morgens, der durch die Vorhänge streicht, die Augen halb offen. Solche Stunden oder halbe Stunden gab es schon immer, fremde Stimmen und von der Sonne gefleckte ganz fremde Wände.

Aber ich bin doch gestern noch durch diese Stadt getragen worden, auf zarten Armen, bedeckt mit Spitzen und einen von Spitzen gesäumten Hut auf meinem Kopf. Wir kamen sogar an Palästen vorbei, säulenbestandenen Höfen, aus den Vorplätzen brachen die Gräser mit ihren leichten Köpfen, dann Caféhäuser, wieder Säulen und meine Freundinnen auf den Armen der andern, die von vergessenen Revolutionen lispelten, und ich bekam von einem Glas Himbeerwasser zu kosten, von einem Stück trockenen Kuchen, und wurde getröstet: Am Abend bekommst du Täubchen, meine Liebe!

Und schon ging es weiter, in Kirchen, wo die Kühle von den Kanzelböden auf uns herunterbrach, die verschiedenen Laute von Schritten auf Holz und Stein, ich saß in schwarzen Bänken und meine Blicke waren geradeaus gerichtet, von den rosigen Lichtern durch die Fenster nicht beirrt. Und dann in Käsegeschäfte, bei künstlichem Licht und auf einem Fasse sitzend und ein kleiner Fächer, der mir neue Luft machte, das Gelächter der Händlerin. Ich wurde im Abendschein vorsichtig über die Brücke laviert und über Teiche gehalten, über künstliche Gewässer, die Rasenplätze umsprangen, an alten Stallungen vorbei, ja, ich befand mich in der Mitte eines Gesprächs über die Frage alter Stallungen, ihrer Wiedererrichtung oder anderen Verwendung, und niemand verbarg etwas vor mir, dunkle und hohe Stimmen über diese Frage waren mir zugetan und kreuzten bedenkenlos mir

zu Häupten[2]. Und ich schwankte weiter unter den Abendhimmeln weg und wurde bewundert oder mit Wein getröstet, mit dem Widerschein der Lichter auf den Kuppelfenstern beruhigt.
So konnte ich friedlich die Tore auf- und zuschlagen und die Singvögel verstummen hören und wurde mitten darin auf die Arme gelegt und gewiegt wie jemand nach einem schweren Kummer oder wie ein ganz kleines Kind: und mit Tränen geherzt, als ich einmal nahe daran war, ins Wasser zu fallen, aber doch nicht fiel. Und wurde nur, wenn andere meiner Art sich näherten, gerade aufgesetzt, der Schleier wurde mir dann leicht vom Hut gezogen und meine runden Arme, da wo sie aus den Spitzen kamen, gestreichelt, mein Gesicht, wenn die andern meiner Art vorüber waren, mit Küssen bedeckt, meine Wimpern, die Ohren, meine geröteten Wangen. Und noch lange ehe wir zu Hause waren, das heißt den Gasthof wieder vor uns sahen, wurde ich zur Ruhe gesungen. Mit den schönsten Liedern, ein spanisches soll auch darunter gewesen sein.
Ich weiß, daß man mich auf diese wie auch auf viele andere unserer Reisen beinahe nicht mitgenommen hätte, aber nach langen flehenden Bitten (nicht den meinen) wurde ich zuletzt doch rasch wieder aus meiner Wiege geholt, meine Kleider und mir sonst notwendigen Dinge wurden in aller Eile in dem weißgrünen Korb verstaut, da schwankte ich schon die Treppe hinunter, zwischen diesem Luftzug von Stimmen vor einer glücklichen Reise, von Neid und Wohlgesinntheit im Treppenhaus, und die leichte Luft unter dem Tor weg bewegte mein Haar, so lange, bis mir ein Seidentuch über den Hut gebunden wurde.
Zug, Wagen oder Kutsche, ich schlief viel, und die Ankunftsorte teilten sich mir von selbst mit, mit ihren Vormittags- und Abendlichtern oder Tauben und dem vielen Gestein auf den Ankunftsplätzen. Und Leute, die sich zu Diensten stellten; aber anderen Armen wurde ich nie übergeben.
Ich erinnere mich schwach, daß einmal auf einer Reise ins Gebirge sogar Notarstöchter an mir Gefallen fanden, ihre Rufe durch das rötliche Gestein habe ich noch in den Ohren, und ich

wurde aufrecht rückwärts gehalten, um ihren Gruß zu erwidern, da winkten sie mir und winkten, ihre frischen Arme bewegten sich gegen den Schnee, der dort noch lag, und die jüngste von ihnen weinte, ehe sie zu den Häusern und hölzernen Terrassen zurückkehrten, wenig später soll sie zum Unterricht weiter nach Süden gekommen sein, gerade die. Aber diese Reise war nur eine von vielen, für gewöhnlich lassen wir die Gebirge rasch hinter uns, es wäre denn, daß wir entfernte Verwandte besuchten.
Ich habe auch diesmal eher den Fisch- und Meeresgeruch in den Kleidern und helle, vor dem Abblättern noch behütete Wandgemälde im Sinn, und die Kirchen der Ebenen, ihre Vögel- und Strauchreihen, die Wege dazwischen, die die Betenden nehmen, zarte Seufzer, Segnungen, die Hände, die mich berühren. Abends waren wir auch wieder in einem der Cafés, und ich bekam Nußcreme zu kosten, mit den Tauben wurde ich auf den heutigen Tag vertröstet und dann durch Märkte und Judenviertel rasch heimgetragen, wir kamen auch an einem Kloster der heiligen Dorothee[3] vorüber, die Sprechstunde war dort beendet und alle zu Bett. Auch wir selbst legten uns rasch, als wir das Zimmer im Hotel erreichten.
Und nun ist niemand mehr hier, und von selbst kann ich mich nicht umwenden, um zu sehen, ob Hut und Schal noch am Bettknauf hängen. Ich dachte immer, wir würden später miteinander eine dieser Schulen besuchen, wo man die freien Stunden unter Akazien oder wilden Kastanien verbringt, ich würde, wenn das Springen über die Schnüre beginnt, mit im Arm gehalten und in hölzerne Klosterbetten zur Ruhe gelegt, einige Gefährtinnen zum Vergleich, und die vergangenen Revolutionen lispelten mich weiter zur Ruhe, so wüchsen wir, selbst wenn ich meine Größe nicht veränderte, den alten Lichtern entgegen.
So aber liege ich halb aufrecht, die seidenen Kleider verknüllt unter dem grauen Tuch, und bei offenen Schränken, die Koffer sind fort.
Ich überlege jetzt, ob nicht das Kloster dieser Heiligen an allem schuld ist. Sollte ich dort nicht aufgenommen werden? Waren der

Pförtnerin vielleicht meine Arme zu rosig, meine Füße zu zart und der Ausdruck meiner Augen unter den goldblonden Wimpern, für die ich nichts kann, zu gelassen? Oder erzählte er auch zuviel von Vögeln und Treppenhäusern, von Stallungen und Kuchen, von den Himbeerwässern, an denen ich genippt habe? Und selbst von denen, die ich nur im Glase schimmern sah, von den glänzenden Fronten der Paläste, von den Marktständen unter den roten Windlichtern, an denen ich nur vorbeigetragen wurde? War ihr mein Mantel zu kunstvoll verschnürt, mein Schleier zu sanft durchbrochen? Und fände ich es ungerecht oder fände ichs nicht?

Aber wie weit führen mich meine Gedanken, was weiß ich von den Klöstern, was weiß ich überhaupt? Gäbe es nicht leichtere und schwerwiegendere Gründe im Überfluß und Richtungen, soviele Gott schuf und die Seefahrer den Windrosen in den steinernen Höfen der Kastelle andichteten? Gäbe es nicht niedrige Mauern genug, um sich darüber von mir wegzuschwingen, höhere, um sie still zu übersteigen? Söhne und Brüder oder nur eilige Aufbrüche, um derentwillen ich vergessen werden könnte? Was gab mir ein, ich wäre um meinetwillen im Stich gelassen worden, man hätte sich gleichsam von mir selbst zu mir selbst begeben und suchte mich nun überall, wo ich nicht bin? Und wüßte dann doch einen Ort, an dem ich nicht sein könnte, mich selber? Was brachte mich auf diese Pförtnerin mit ihrer Jugend und ihrem strengen Gesicht, das ich nie sah? Mit dem Kranz von Liedern um Kopf und Schultern?

Wieviele Gelöbnisse brauche ich jetzt noch, wer soll mich wekken, wer mich wieder holen? Denn ich liege nicht im Schlaf, ich bin so warm wie kalt, ich bin den Schmerzen entwendet, den Gefahren, den Liedern der Heiligen. Keine Pförtnerstube wird mich aufnehmen, und es wird kein Gespräch darüber geben, ob ich erlaubt sei oder nicht, ich werde auch nicht blindlings in der Früh die Schatten der Glockentürme über den groben Vorhängen wahrnehmen, um bald erhoben zu werden, nein, nichts von alledem. Es scheint mir jetzt, daß nur mehr die Richtungen, die hinter mich führen, offen sind, mit ihren Luftzügen, ihrem Unbekannten, ihren unverlockenden Farben. Mit den aufbrechenden Gärten, von denen ich so wenig wissen möchte. Ich kann jetzt nicht mehr enden, keine Gosse im Frühlicht, kein Graben, über den die Erlen streifen, und das Brausen der Wagen zur Seite, nichts wird mich verhüllen, kein Sumpf, der meine hellen Füße bewahrt. Nur diese Truhen, leeren Fächer, Lavendelgerüche, und bald vergesse ich, wem ich gehöre, vergesse das Vergessen und das Vergessen vergißt mich. Von da an wird mich holen können, wer mich möchte, Mädchen oder Marktfrau oder die Schwester, die meine Spitzen flickt und am Zerfallen hindert. Ein heiliger Georg[4], ein verlassener Stall und Bohnenschoten, ich will nicht mehr viel träumen. Mit meinen Locken kann man noch die Engelsköpfe schmücken, mit meinen Spitzen noch die grünsamtenen Mäntel, aber mit mir selber? Wachs und Schnüre. Und nicht einmal mehr ferne sind die Notarstöchter und die Sprechstunden in den Klöstern der Heiligen.

Merkwürdig, daß mir die Gebirge noch erscheinen und Karawanen über alle Pässe und wie die großen Tiere ihre Köpfe nach den alten Kapellen wenden. Und nur den winkenden Händen vor dem roten Gestein will ich im Schlaf noch begegnen.

DIE MAUS

Ich stoße überall an, aber ich möchte nicht anstoßen. Ich bin über Fallen informiert. Aber das hier ist keine Falle, hier herrscht ein angenehmes rötliches Licht und es ist mild. Ich höre überall Schritte: Menschenschritte, Entenschritte, die Schritte der Traumwandler, Söhne und Töchter, da gibt es viele, die Schritte der Gerechten, ich unterscheide sie leicht. Dann und wann dringt helleres Licht durch die Ritzen, das mich vermuten läßt, ich könnte hier hinaus, aber ich gebe mich dieser Vermutung nicht hin, ich hege sie nicht. Ich hege die Angst, das ist besser, sie verlangt nicht mehr von mir als mich selbst. Ich wäge sie und lasse sie über mich fort, von einer Seite zur andern, so unterscheide ich bald die Richtungen. Hier ist wenig Raum, aber Richtungen gibt es und sie sind unbegrenzt. Sie sind auch mild, sie kommen nicht über mich. Wenn ich die Ohren bewege, streife ich das Holz, es ist rauh und ich rieche es gut. Aber die Angst ist besser, sie ist dankbar, und ich stelle sie mir immer als eine große weiße Blüte vor, die im Morgenwind schwankt (sicher auf einem Stengel), die Ängstlichen pflücken sie nicht. Aber die Nachbarskinder jauchzen ihr zu, und ich bekomme ihren Geruch in alle Nüstern. Man leuchtet mir heim, soviel sehe ich, und der Weg ist nicht zu verfehlen, auch wenn es kein Weg ist. Es ist doch einer. Mir geht es wie Leuten, die abends in einer Laube sitzen, weshalb weiß ich nicht. Ich gehe nicht ins Haus wie sie, ich habe auch das Geflecht der Schatten auf mir. Ich gehe nicht ins Haus, weil ich es nicht mehr kann, aber soll man denn immer betonen, was uns getrennt? Und weshalb kann ich es nicht? Weil die Haustüren geschlossen und die größeren Tiere ums Haus sind, aus solchen und ähnlichen äußeren Gründen? Oder weil ich hier nicht herauskann? Aber wer weiß, ob sie es können? Oder ob ich es nicht kann? Lassen wir die Leute in der Laube lieber, ich hätte nicht von ihnen beginnen sollen. Die Nachbarskinder sind viel besser mit ihren Pferden (es ist wahr, einer hat ein Pferd, wenn er auch weit wohnt und sonst nicht viel hat) oder der Hund im Baum. Den haben sie gefunden, als er schon lange darinnen hing, sie erzählten es laut. Oder die Pilzsammler, deren Reden und Schritte ich oft höre, wenn auch ohne Freude. Und die Wallfahrer, das ganze Volk! Fast alles führt zu weit. Bleiben wir deshalb lieber in dem Ort, an dem ich bin, wie es in einem Lied heißt. Kein Lied, das unsereinem sonst zugänglich ist. Und deshalb ist mir auch der Ort verdächtig. Weil er vielleicht eine Falle ist? Oder weil er keine Falle ist? Soviel frage ich mich. Ich möchte kein Mitgefühl beanspruchen. Niemand soll sich meinetwegen in Eile stürzen oder auch nur eine Gittertür schärfer zuschlagen (das triebe mich in Verlegenheit). Niemand soll mit Drähten und Eisen über mich kommen und mich zu retten versuchen, es brächte nur Unruhe, die Reden und Gerüche draußen gingen ungehört vorbei. Und das wäre ein Jammer, selbst um die Reden der Pilzsammler. Die Pilzsammler hören sich gegenseitig selten an, und so stiegen ihre Worte in den Wald über der Luft, in die alten, elenden Verstecke, Worte, Silben und noch viel weniger, für immer allein und unauffindbar. Weil sie dann leicht und niemals zueinander passen, leicht und niemals, daran liegt es, und ich will es ihnen nicht antun, nicht den Worten, nicht den Silben und dem, was noch daraus wird, Brocken, Gerüchten und nicht einmal der Luft, die mich verläßt. So bin ich doch hier und horche, meine Ohren sind scharf und tasten mit dem Holz zugleich die Eisfelder ab, ich kontrolliere nichts, ich bin zugegen. Das ist auch ein Vorteil meiner Lage. Alle andern kommen leicht in den Verdacht, sie möchten etwas kontrollieren, in die Hand bekommen, sich über etwas setzen. Aber ich nicht. Ich höre das Eis so beteiligt wie unbeteiligt brechen, diese Waage halte ich, solange ich hier bin. Und ich bevorzuge nichts, keine Tummelplätze, keine höhenumstandenen Bäche, keine Schwärmer, ich bin allem gleich gut. Was einen Schritt nachgibt, ist mir so wichtig, wie die doppelt- und dreibödigen Blöcke, die man zuletzt sprengen muß. Ich trage es ihnen nicht nach, ich kann meine Vorliebe bezähmen, aber ich kann es nur hier. Wer weiß, ob ich mich nicht als Richter über die gefrorenen Löwen setzte, wenn ich draußen wäre, ob ich nicht begänne, Brücken zu beriechen, Werte zu bestimmen oder nur Maße zu nehmen, das ist auch schon verdächtig. Der Holzgeruch zöge mich an, Schleifspuren, alte Lichter oder das Röhren der Hirsche. Aber hier nicht. Die Maße sind hier so eng, daß man sie schlecht als Maße bezeichnen kann, und über allen Verdacht erhaben. Das ist hier kein Haus und kein Stall, keine freundliche und keine traurige Überraschung und braucht keine Lorbeer- und Nelkenbüschel an der Mauer. Keine Felle, kein Krähengefieder draußen an die Wand, auch nicht einen Nagel. So bin ich zufrieden. Kein Vogel muß meinetwegen daran glauben, keine Flut erhebt sich, keine Sonne geht mir auf, das ist gut. Alles Gelächter vollzieht sich ohne mich. Wie wäre es aber, wenn ich versuchen wollte, hier heraus zu kommen, wenn ich auch nur einen Schritt nach einer Richtung täte? Alles veränderte sich. Sei es, daß ich einen Ausgang fände, oder sei es, daß ich fände, es gibt keinen: es wäre nichts mehr wie vorher. Ein Ausgang oder kein Ausgang, das ist für mich fast dasselbe, sobald ich es weiß. Ich könnte nicht mehr jubilieren, mein Herz bliebe stumm, selbst auf dem freiesten Hügel eine fernliegende Vermutung, eine armselige Sache. Nein, Ausgänge soll man in meiner Lage nicht an sich heranlassen, sie nicht bedenken, sich ihnen nicht zu nähern versuchen, auch nicht mit der kleinsten Bewegung. Kein Brett soll sich heben, keine Wärme von außen, keine Süßigkeit mich verletzen, kein frischer Hauch. Erst dann wird das Schattennetz auf meinem Rücken selbst wechselnd zu meiner Zeichnung, meine Lage zu meiner Gestalt, die Erstarrung aber, in der ich vermeintlich verharre, die feuchte Kälte, die sich um mich schließt? Man soll sich nicht jede Hoffnung vorsprechen. Man soll es den Brücken gleichtun, die noch eingebrochen jeden Schritt denen überlassen, die sie nur streifen, die bei ihrem Anblick zurückzucken und sie nicht begehen, ich kenne da einige. Es ist nicht zu glauben, wieviel eingebrochene Brücken es gibt und immer noch genügend Möglichkeiten, anders über das Eis zu kommen, Schleifen, Umwege, Rückwege, Wege durch das Dickicht, durch den Schnee, an Holzlagern vorbei, kein Mangel. Ein Eisblumengarten und sogar gefundenes Zeug auf seinen Rändern, Fäustlinge, Taschentücher, freundlich auf Stöcke gespießt. Pilzsammler und Schneelichter, alle meine Freunde, soweit schaut und weiter nicht! Behaltet im Auge, was ihr darinnen habt! Geht weiter, geht weiter, laßt das Mondläuten sein, eilt nur nicht zu mir! Und auch ihr Nachbarskinder, hebt ruhig die Blüten an und werdet groß. Verleugnet eure Kühnheit, befreit mich nicht! Denn ich will keinen Spiegel, keine Glasscheibe und nicht einmal eine finstere Handvoll Wasser, die mir mein Bild zurückwirft. Wer weiß, vielleicht besteht mein Jubel darin, daß ich unauffindbar bin.

DIE SILBERMÜNZE

Durch das Fenster der Speisekammer sahen sie ihn die Straße heraufkommen. Es war dasselbe Fenster, durch das sie vorgestern abend die Reiter gesehen hatten, den Apfelschimmel und die Dame im Frack unter den wispernden Bäumen. Der Mann ging die Straße langsam herauf und bog dann zum Haus ein. Ehe er die Stufen zum Eingang heraufkam, zögerte er und wischte sich einige Schweißtropfen von der Stirne. Er legte die Hand aufs Herz. Gegen die Sonne hatte er ein weißes Taschentuch auf den Kopf gebreitet. Hoch über ihm schwebten am Mittagshimmel einige bunte Ballons, die von den neuen Pächtern der Drogerie an die Kinder der Umgegend ausgegeben worden waren. Der Mann betrachtete die geknickte Sonnenblume zur linken Seite der Stufen und stieg langsam hinauf. Dann läutete er. Man sah jetzt sein Gesicht näher, es war rot und verärgert.

Als sie ihm öffneten, drang der Geruch verfaulter Zitronen zu ihnen herein, die Blätter auf dem großen Baum gegenüber regten sich nicht, und die Hühner schliefen. In der Ebene, die zwischen der Mauer gegenüber und den Baumzweigen heraufschimmerte, fuhr ein kleiner Lastzug in der Richtung nach Holland. Der Mann verbeugte sich leicht und zog ein grünes Geschäftskuvert aus der Rocktasche. „Nehmen Sie einem Schwerkriegsverletzten einige Ansichtskarten ab!“ sagte er, und als er nicht gleich eine Antwort bekam, setzte er hinzu: „Ich bitte Sie darum.“ Sie nahmen zögernd die Karten, die er wie ein Spiel entfaltet hatte und ihnen entgegenhielt, und betrachteten sie. Es waren alles in Kohle gezeichnete Landschaften, der Mond über einem Teich, eine weiße Frau neben einem schwarzen Strauch, die Frau war nackt, und dann wieder der Mond über einem Teich, das war dieselbe, darunter tauchte auch wieder die Frau auf. Alles Schwarze auf diesen Karten war nicht ganz schwarz, sondern dunkelgrau, so wie das Weiße nicht ganz weiß war; es waren traurige Karten.

Auf der Straße fuhr ein Lautsprecherwagen vorbei, und eine fröhliche Männerstimme sagte etwas von Orangen und neuer Ernte. Der Wagen war gelb gestrichen, und sie sahen ihm hilfesuchend nach. „Sie kosten fünf Mark", sagte der Mann mit den Karten, „im ganzen sind es zwölf." „Und wenn man nur sechs haben möchte?" „Es sind zwölf!" sagte der Mann. Eines von ihnen rannte hinein, um das Geld zu holen. In der Küche war das Fenster offengeblieben, und es waren Fliegen hereingekommen. Beim Haushaltgeld war kein Fünfmarkstück, auch nicht in der Speisekammer, aber im Schlafzimmer lag eins schon seit Tagen auf dem Regal vor den Büchern. Die Vorhänge waren zugezogen, aber da glänzte es! Alle Kühle in dem Raum ging davon aus, aller Schlaf in dem Zimmer, und die Ruhe.

Die beiden andern unten betrachteten noch immer schweigend die Karten, angestrengt und hilflos, ihre Blicke schienen von dem grauen Schwarz und dem grauen Weiß für immer angesogen. Eine leichte Lähmung ging von den Karten aus, und vielleicht war das der Beginn der Kinderlähmung, von der man auch so wenig Sicheres wußte. Erst als der Mann die Münze schon in der Hand hielt, sahen sie von den Karten weg und steckten sie zögernd in den Umschlag zurück. „Danke", sagte der Mann mürrisch und ging langsam die Stiegen wieder hinunter. Sie legten die Hände über die Augen und sahen ihm nach, er ging die Straße weiter, in der Richtung gegen die Felder zu, ihren liebsten

Weg. Sie schlossen die Haustür und sahen noch eine Weile durch das gestreifte Glas, bis er verschwunden war.

Als sie wieder in der Küche waren, begannen sie, von den Tomaten zu essen, die auf dem Fensterbrett in der Sonne lagen, und aßen so lange, bis nichts mehr da war. Dann sagte die Älteste von ihnen, die dem Mann das Geld gegeben hatte: „Er war gar nicht verletzt!" „Er war nicht einmal im Krieg!" rief die Jüngere zornig. „Doch, er war im Krieg, aber er war nicht verletzt!" „Er war überhaupt nicht — —." Sie stritten laut, während die Fliegen surrten und auf dem Brett herumkrochen, wo die Tomaten gelegen hatten. Eins von ihnen griff hinaus und holte von dem Strauch vor dem Küchenfenster Johannisbeeren herein. „Wasch sie!" riefen die andern. „Du mußt sie waschen!"

„Vielleicht ist es besser, wenn wir die Karten wegwerfen", sagte die Älteste, drehte nachdenklich den Umschlag zwischen den Fingern und betrachtete sein ödes, wie von Straßenstaub übersprühtes Grün. Die anderen redeten dagegen. „Wir könnten sie gut verschreiben, wenigstens die, wo die Frau nicht drauf ist!" „Dann hätten wir doch einen Teil von dem Geld —." Aber die Kleinste begann zu weinen und sagte: „Ich möchte sie wiederhaben, die ganzen fünf Mark möchte ich wiederhaben, das ganze silberne Stück! Und dieses, gerade dieses, nur dieses!" „Ich laufe ihm nach und verlange es zurück!" sagte die Mittlere, die praktischer dachte. „Fünf Mark ist zuviel dafür!" Sie packte den Umschlag mit den Karten und lief damit auf die Straße hinaus, die andern hinter ihr her. Als sie an die Biegung kamen, von der aus man alles weithin übersehen konnte, sahen sie die leere Straße vor sich liegen. „Jetzt ist er schon auf den Feldern!" „Dort nimmt er die Ähren aus." „Und knöpft den Wolken das Weiß ab." Auf einer Linde vor ihnen begannen die Spatzen zu schilpen. Verstört gingen sie nach Haus zurück.

„Und wenn er doch eine heimliche Verletzung im Kopf gehabt hätte?" Sie standen im Keller um den kalten Ofen, in dem die Karten glosten. „Das ist jetzt gleich", erklärte die Älteste ruhig, „ob er eine hat oder ob er keine hat." Aus den Ofenritzen drang Rauch. Von oben her klang eine Stimme herunter, die fragte, warum die Kellertür offenstände und wieso um alles in der Welt Rauch heraufkäme. Sie rührten sich nicht. An dem Regal mit den alten Lesebüchern vorbei kamen ein paar Lichtstrahlen bis fast zu ihnen, und hinter dem höheren der beiden Kellerfenster sahen sie die Sonne. Durch den Rauch betrachtet sah sie silbrig und still aus wie ein großes Fünfmarkstück.

NICHTS UND DAS BOOT

Es war vielleicht kein Zufall, daß es sonntags geschah, dem Tag, an dem Gott ruht und die Leute in ihren besten Kleidern so hilflos aussehen. Es war ein heißer Tag, einer, an dem früh und abends die Straßenbahnen und nachts die Abfallkörbe überfüllt sein würden, aber unser Mißtrauen war damals noch leicht wie eine bunte Boje, die das Schwimmbad gegen den offenen Strom abgrenzt, wir konnten uns noch daranhängen ohne unterzugehen.

Das Geld für das Boot, das uns der Mann an dem toten Flußarm billig abgeben wollte, war fast vollzählig, wir hatten es seit langem zurückgelegt. Seit Wochen rochen wir nichts anderes als feuchtes Holz und fuhren alle Sonntage an den Damm, um mit dem Mann zu reden, während das Boot leicht zur Seite geneigt auf dem schmutzigen Wasser schaukelte. Einmal war er auch, dem Anschein nach ungeduldig geworden, bei uns gewesen, und wir hatten das Geld aus dem Küchenschrank genommen und ihm vorgezählt, um uns sein Vertrauen zu sichern. Wir hatten Angst, daß er das Boot jemandem andern geben könnte, aber jetzt würde das Geld bald reichen. Und es war auch Zeit, es ging gegen August. Das Laub über unsern Köpfen begann sich schon gelb zu färben, wenn wir an den Fluß gingen.

Es war kurz bevor Robert mit seinem Vater aus unserm Haus auszog, aber damals wußten wir beide noch nichts davon. Wir wollten später eine Tabakplantage miteinander kaufen und das Fliegen lernen, und vielleicht hätte alles noch eine Weile so weitergehen können, wenn es an diesem Tag nicht so heiß gewesen wäre.

Als ich zu Robert kam, war die Wohnungstür von innen nicht abgeschlossen. Ich ging durch die Küche, die zugleich als Vorraum diente, und fand ihn allein. Ich sehe ihn noch vor mir, der Länge nach ausgestreckt auf dem niedrigen Bett, seinen linken Arm, der herabhing, und den rechten, den er unter den Kopf geschoben hatte. Sein Hemd stand offen. Die Sonne brannte durch das Blechdach. An der Wand lehnten einige abgedeckte Bilder, die Staffelei seines Vaters stand leer, er hatte das Netz mit dem Badezeug darangehängt.

„Kommst du mit an den Fluß?“ „Es ist zu heiß“, sagte er, ohne sich nach mir umzudrehen. „Meinst du, daß wir Gefrorenes holen sollten?“ Er schüttelte den Kopf. Die Glöckchen von den Wägen der Italiener klangen wie eine Sinnestäuschung herauf. „Was denn willst du tun?“ fragte ich verzweifelt. „Nichts“, sagte er, „ich versuche, nichts zu tun.“ Ich blieb unschlüssig an der Tür stehen. „Schon seit zwei Stunden“, sagte er, „nichts, verstehst du? Nichts. Da wird dir kühl, da liegst du wie im Wasser!“ Ich begann zu lachen. Die Sonne prallte gegen die schrägen Scheiben und preßte die Fliegen daran wie die See die Ertrunkenen an den Grund; nur von Zeit zu Zeit schwirrte eine unerwartet, wie von der Flut gehoben, auf und fiel wieder zurück. „Aber das Boot —“, sagte ich. Er rührte sich nicht. Ich packte mein Badezeug fester und wandte mich zum Gehen. Auf dem dritten Treppenabsatz hatte er mich eingeholt. „Nichts. Verstehst du? Auch nichts mehr denken!“ Seine Stimme hallte in dem leeren Flur und ich hatte plötzlich die Empfindung, einen Tag nach dem Weltuntergang mit ihm allein übriggeblieben zu sein. „Nur für eine Weile!“ Und als ich noch immer zögerte: „Wer es länger aushält, dem soll das Boot gehören!“

„Aber“, fügte er hinzu, als wir wieder oben waren, „du darfst natürlich auch nicht an das Boot denken.“ Ich warf das Badezeug weg und legte mich quer über das Fußende seines Bettes, merkte aber bald, daß seine letzte Bedingung mir den Hals brechen mußte. Es war möglich, die Schularbeiten für September zu vergessen, die Blumen zu Hause, die nicht gegossen waren, und das Lärmen des Karussels in der Ferne; aber es war nicht möglich, das Boot zu vergessen, um das die Wette ging. Sooft ich es auch auf den Grund zu tauchen suchte, es drehte sich um und kam wieder, es schwamm mit dem Bug nach oben und glänzte nach der Flut, in der ich es ersticken wollte, nur noch stärker in der Sonne. Es war wie ein Ertrunkener, der sich nicht verleugnen ließ. Ich konnte es nicht aus meinen Träumen bringen, ich konnte nicht aufhören, daran zu denken: ich war im Begriff, es zu verlieren. Verzweifelt sah ich zu Robert hinüber, er lag ganz still. Es war jetzt zu spät, die Wette abzubrechen. Ich starrte auf einen feuchten Fleck an der Decke, der noch von den Regengüssen im März geblieben war, ich versuchte, die Melodien zu unterscheiden, nach denen das Karussel sich in der Ferne drehte. Schließlich gelang es mir, das Boot aus meinen Gedanken zu verdrängen, aber ich wußte im Grunde, daß ich es nur umgedreht und einen halben Meter unter Wasser getaucht hatte und daß ich auf seinem Bug weiterritt. Ich wußte, daß es gegen die Regel ging: ich hoffte noch immer auf das Boot, ich freute mich auf den Abend, und ich hielt die Hitze, die immer noch zunahm, die verdeckten Bilder, und den Himmel, der an seinem eigenen Blau zu verzweifeln schien, nur in dieser Hoffnung aus. Aber das war nicht nichts, wie Robert es gemeint hatte, da fehlte soviel wie vom Fegefeuer zum Himmel. Um das Boot wirklich zu gewinnen, mußte ich alle Hoffnung darauf aufgeben. Es war ganz einfach, ich mußte es ja nur loslassen, ich mußte es sinken oder schwimmen lassen, wohin es wollte, aber das konnte ich nicht. Ich verlor.

Vielleicht war es diese Gewißheit, die mich zu beruhigen begann, vielleicht war es auch nur Müdigkeit: allmählich verschwand mit Wasservögeln und Stechmücken, Flußauen und großen Ferien auch das Boot aus meinen Gedanken. Meine letzte Vorstellung war ein Leck, durch das langsam das schmutzige Kanalwasser sickerte, dann versank auch sie: Horaz fiel vom Maultier, Atlantis brach ein und die See ging darüber. Ich ritt auf der Mittagsglut wie auf dem feuchten, glänzenden Rücken eines Walfischs, rundherum war kein einziges Segel mehr. Ich machte damals die merkwürdige Entdeckung, daß nichts nicht nichts war, nur der Höllenlärm, dieser stumme Lärm, der für gewöhnlich zwischen uns und den Dingen ist, ließ nach.

Einen Augenblick dachte ich, daß es das Rufen der Kinder in den Auen war, das mich geweckt hatte, das Aufklatschen von Steinen, die flach über das Wasser sprangen, das Licht der Sonne über dem Fluß. Dann sah ich die abgedeckten Bilder und die Fliegen an den Fenstern und erinnerte mich. Mir stieg das Blut vor Zorn darüber zu Kopf, daß ich eingeschlafen war. Ich warf einen schnellen Blick zu Robert hinüber, er lag flach und still wie ein Toter, vielleicht hatte er nichts bemerkt. Die Sonne war von unserem Bett gekrochen und beleuchtete jetzt die verdeckten Bilder an der Wand. Aus einer Wohnung tiefer unten schlug eine Uhr.

Plötzlich hörte ich das Geräusch wieder, das mich geweckt hatte: nebenan krachte der Bretterboden wie oft nachts, wenn die Kühle rasch hereinströmt und das Holz sich wirft.[2] Aber es war nicht Nacht, die Kühle lag längst noch in fremden Ländern und tröstete andere als uns. Ich erschrak, ich mußte daran denken, daß das Haus schon vor drei Stunden wie ausgestorben gewesen war. Ich stützte mich auf die Ellbogen und sah Robert an, ich rief ihn leise beim Namen, aber er lag noch immer da wie ein Toter, dem man die Augen zu schließen vergessen hatte. Das Blut stieg mir wieder zu Kopf. Ich hatte nicht nur gedacht, ich hatte mich auch bewegt, ich war erschrocken — ich war zum zweitenmal dabei, das Spiel zu verlieren. Ich warf mich wieder zurück. Vielleicht war es auch nur sein Vater, der heimkam. Aber war sein Vater nicht über das Wochenende weggefahren? In der Küche wurde jetzt die Schranktür geöffnet, etwas flog mit Gepolter zu Boden.

Ich richtete mich auf und stieß Robert in die Seite. Ich rüttelte ihn und beugte mich über ihn, ich beugte mich so weit über ihn, das mein Gesicht das seine fast berührte, ich versuchte seinen Kopf zu heben, aber sein Kopf fiel wieder zurück, er sah mich auch nicht an. Meine Erbitterung war so groß, daß mir die Tränen in die Augen stiegen. Wenn wir es jetzt nicht taten, wenn wir jetzt nicht aufsprangen und den daneben hinderten, uns das Geld aus dem Schrank zu nehmen, verging alle Hoffnung auf Kühle, auf feuchtes Holz und die Spur der Ruder auf dem Wasserspiegel. Alle unsere Entbehrungen waren sinnlos gewesen, die vielen Wege, die wir zu Fuß gelaufen waren, um das Fahrgeld zu sparen, der Verzicht auf den letzten Schulausflug, auf das Zeltlager, alles. Diese ganze Wette war sinnlos, wir konnten sie nur mehr um den Preis gewinnen, um den wir gewettet hatten, wir konnten das Boot nur mehr gewinnen, indem wir es verloren. Aber kam es nicht zugleich darauf an, gerade jetzt die Wette zu halten?

Nebenan krachte das Holz jetzt leiser in den Fugen, es waren ganz deutlich Schritte. Ich sah es plötzlich dunkel über uns werden, ich sah die Nacht, die nichts abkühlte, durch alle Ritzen kommen, und die letzten Straßenbahnen, die an keiner Station mehr hielten, in die Remisen[3] fahren. Ich sah uns allein bleiben ohne Hoffnung auf das Boot, mit einem langen Schuljahr vor uns. Und auch die Schuljahre überstürzten sich in einer Art von beschleunigtem Ablauf, ich sah uns in langen Mänteln und hohen Hüten den Fluß entlang gehen, und ich sah unser weißes Haar im Wind wehen.

Ein Luftzug kam unten durch den Türspalt, die Flurtür ging. Ich öffnete die Augen wieder und sah in die Sonne. Ich hätte noch aufspringen, ich hätte den Mann noch einholen und um Hilfe rufen können, jetzt mußte er im dritten Stock sein, im zweiten, im ersten — ich biß in die Lippen, um nicht zu schreien — jetzt war er gegangen. Er ging zur Station und mischte sich unter die Wartenden, er fuhr über die Kanalbrücke, quer über die Insel, bis er an den Fluß kam, er fuhr darüber. Das Haus war wieder still.

Ich fühlte eine große Erleichterung, der Kampf war zu Ende. Robert lag noch immer still da und ich lag jetzt zum erstenmal so still wie er.

Nicht nur die Sache mit dem Boot, auch unsere übrigen Pläne sind nie wahr geworden. Die Tabakplantage löste sich wie eine kleine Hitzewolke vor dem Abend auf, wir haben nicht fliegen gelernt und Robert habe ich später nie mehr wieder gesehen. Aber heute scheint es mir, als hätten wir — was auch immer noch mit uns geschah — an diesem heißen, traurigen Sonntagnachmittag etwas von dem Fliegenlernen vorweggenommen.

Mit freundlicher Genehmigung der Autorin.

DER JUNGE LEUTNANT

Als ich ausgesprochen war, stieg ich aus. Sie hielten in einem Dorf, um schwarze Oliven zu kaufen. Derjenige, der begonnen hatte, erzählte den Witz zu Ende, ehe sie den Wagen verließen. Ich löste mich sachte aus dem Dunkel. Mein Name war genannt worden. "Ein gewisser Leutnant . . .", so begann die Geschichte, "kam eines Tages" . . . . Mehr behielt ich nicht. Auch ihr Gelächter und ihre Stimmen verlor ich bald aus den Ohren. Sie waren gegen das Seeufer hinabgebogen, die Straße lag nun leer.

Obwohl sich die Wintersonne rot zum Untergehen neigte, erschien mir alles sehr hell und ich war fast geblendet. Ich stand in der Nähe des Heldendenkmals, ein roter Löwe lag neben mir an der Kirchhofsmauer, er rührte sich nicht. Auf seinem Kopf hatte er einen kleinen Flecken Schnee. Vom See herauf blies mir ein kalter Wind Eiskörner ins Gesicht.

Die Landschaft war mir fremd. Fremd waren mir die Inseln, die wie Orden auf dem Wasser lagen, und auch das Dorf war mir fremd, Dazu kam, daß es trotz der noch immer etwas schneidenden Helligkeit bald Nacht sein würde. Ich sah an mir hinab. Ich trug den Waffenrock[1], die Uniform des Korsos, der warmen Sonntagvormittage in der Hauptstadt. Ich erkannte meine Orden wieder, das Kreuz mit der Krone und die Tapferkeitsmedaille; ich faßte an den Gürtel, auch meinen Säbel hatte ich bei mir. In der Rocktasche griff ich einen Gegenstand. Es war ein mit einem Gummiband verschlossenes Päckchen, in hell grünes Papier eingeschlagen, Visitkarten, die meinen Namen trugen. Diese Karten benötigt man jeweils in einer neuen Garnison, um seine Antrittsbesuche damit zu decken.

Ich wandte meinen Blick jetzt zum ersten Mal von der Friedhofsmauer ab und musterte die Häuser des Dorfes. Breit, reich und verschlossen, mit bunten Malereien über Türen und Fenstern, standen sie vor mir. Von ferne hörte ich ein Mädchen rufen, zwei Kinder mit einer Rodel liefen vorbei. Ich seufzte und betrat den Friedhof. Ich hatte in neuen Garnisonen immer Wert darauf gelegt, die Friedhöfe bald zu besuchen. Aber ich entdeckte keinen bekannten Namen und verließ ihn schnell wieder. Auch soweit ich auf der Straße Lebenden begegnete, es waren nur wenige, entdeckte ich keine Bekannten und keine Kameraden. Endlich ging ich ins Dorf.

An dem ersten Haus, daß einen großen goldenen Georg über dem Tor trug, läutete ich nur kurz und warf, als niemand öffnete, die erste Karte ein. Auch bei den nächsten Häusern öffnete niemand. Und selbst als ich am Wirtshaus läutete, zeigte sich kein Mensch, nicht einmal eine Magd. Das machte mich einen Augenblick lang nachdenklich. Sie erwarteten dort vielleicht nicht, daß man läutete, dachte ich (was sollte man aber anderes vor verschlossenen Wirtshäusern tun?) und verwarf diesen Gedanken erst wieder, als mir auch weiterhin niemand öffnete. Ich begann meine Karten schnell loszuwerden.

Als ich an den See hinunter kam, hatte ich nur mehr wenige. Der Segelklub war gesperrt und ich beschloß, hier nichts einzuwerfen. Auch bei den Fischernhäusern und den Villen mit den großen unregelmäßigen Gärten und vereisten Bootsstegen hniter den Sträuchern überlegte ich jedesmal eine Weile, ob ich es nicht lieber lassen sollte. Ich ließ es nicht, bekam aber allmählich den Eindruck, daß ich meine Karten ebensogut ins Schilf hätte werfen können, niemand öffnete mir. Das konnte Höflichkeit sein, aber da ich noch kein Quartier hatte, begann sie mich zu beunruhigen. Und nicht nur deshalb. Als ich vom See herauf in dem dunkelnden Tag wieder gegen die Kirche zuschritt, meine Stiefel hallten laut auf der Straße, kam mir der Gedanke, daß es auch mehr als Höflichkeit sein konnte. Daß mich vielleicht niemand hörte und daß—ich will den Gedanken nicht zu Ende denken, aber ich spreche ihn aus—eins von uns beiden vielleicht gar nicht hier wäre: das Dorf oder ich selbst.

Aber wieso hätte ich dann Karten bei mir? Wieso trüge ich meinen Waffenrock? Ich darf mich nicht beunruhigen lassen. Und ich muß ziemlich vorsichtig mit meinen letzten Karten umgehen, vielleicht hier beim Tierarzt noch eine, eine bei der Wäscherei und eine bei den Kaplänen—weshalb wäre ich denn in dieses gottverlassene Dorf gekommen, wenn nicht, um meine Karten loszuwerden, ehe es Nacht wird?

Der Platz vor der Kirchhofsmauer its jetzt leer, der Wagen mit den drei Leuten ist verschwunden. Wind, Schnee und Eis verwehen schon die Radspuren. Ich wüßte gerne wenigstens den Witz wieder, aus dem ich kam, aber ich weiß ihn nicht mehr, ich habe Witze immer schlecht behalten. Ich erinnere mich nicht einmal mehr des Menschen, der ihn erzählte, war es derjenige im Rücksitz des Wagens oder einer der beiden anderen? Nichts, nichts, ich stehe hier im feinen Eisregen, der eben begonnen hat, auf der Dorfstraße eines vermutlich bayerischen Dorfes an einem größeren See, in der Nähe des Heldendenkmals, eines roten Löwen mit einer Schneekappe auf dem Kopf, und erinnere mich nicht. Ich stehe allein hier, an dem sinkenden Abend eines mir unbekannten Jahres, und komme mir lächerlich vor. Die Gefallenen, die mit goldenen Buchstaben auf der Steintafel unterhalb des Löwen verzeichnet stehen, sind in einem anderen Krieg gefallen. Meine Visitkarten sind jetzt ausgegeben.

Ich verstehe mich nicht. War es mir nicht wichtiger, zu behalten, woraus ich entsprang, zu wissen, wohin ich vielleicht zurückkehren könnte? Allem Anschein nach habe ich mich benommen, wie es in diesem Witz von mir verlangt war, den ich vergessen habe.

Aber ich frage mich auch, ob dieser Witz wichtig genug war, um jemanden auf diese Weise preiszugeben, um ihn auszuliefern an ein fremdes Dorf an einem fremden See mit fremden Inseln, und an ein Heldendenkmal aus einem späteren Krieg. Ob er nicht besser verschwiegen worden wäre und mich in Frieden gelassen hätte? Auch in Anbetracht des Eisregens, von dem gleich zu vermuten war, daß er immer stärker wurde. Ich hatte besser feldmäßige

Adjustierung[2] angelegt, aber auch das war in dem Witz vorgesehen.

Die bunten Figuren auf den Häusern verlieren allmählich ihre Farben und werden dunkel, der rote kleine Löwe neben mir wird schwarz. Vermutlich auch ich selbst und die Litzen[3] meiner Ausgehuniform. Wenn nur der Wagen mit den drei Leuten wiederkäme, mir wird jetzt langsam kälter. Aber während mir kälter wird, beruhige ich mich auch. Es ist unmöglich, daß man mich hier für immer stehen läßt, in diesem finsteren Dorf mit den bunten verschlossenen Häusern.

Wäre mir auch nur ein einziges von ihnen geöffnet worden, so hätte ich mir gesagt, sie kommen vielleicht nicht wieder mit ihrem Wagen. Aber da mir niemand geöffnet hat, daß das Eis zunimmt und als Nässe an der Mauer bleibt, da sogar der Löwe von dem Dunkel verschluckt wurde, sage ich mir: sie müssen wiederkommen. Ich kenne sie nicht, aber sie müssen mich kennen. Ich werde sie nicht finden, aber sie werden mich finden. Sie werden mich zum Abendessen in ihr warmes Haus nehmen. So ernst ist es ihnen mit ihrem Witz gewesen, glaube ich.

Ich stehe hier an der Kirchhofsmauer und die Nacht bricht herein.

BELVEDERE

DER DIREKTOR DES STÄDTISCHEN ZOOS: Guten Morgen!

DER DIREKTOR DER GALERIEN IM OBEREN UND UNTEREN SCHLOSS: Schönen guten Morgen. Mir scheint, daß ich schon flüchtig das Vergnügen hatte?

ZOODIREKTOR: Ganz recht. Ich bin auch angemeldet.

GALERIEDIREKTOR: Was führt Sie zu mir?

ZOODIREKTOR: Ich komme wegen der Stiere.

GALERIEDIREKTOR *nachdenklich*: Wegen der Stiere?

ZOODIREKTOR: Ja. Es war schon vor Jahren die Rede davon.

GALERIEDIREKTOR: Stiere – Stiere –

ZOODIREKTOR: Wegen der weißen, ägyptischen, wenn Sie sich gütig erinnern wollen –

GALERIEDIREKTOR: Stiere?

ZOODIREKTOR: Wegen der rotäugigen!

GALERIEDIREKTOR: Ein Gemälde?

ZOODIREKTOR: Nein. Stiere.

GALERIEDIREKTOR: Es ist mir, als hätte ich davon schon gehört, aber ich weiß nicht, wie ich sie einordnen soll.

ZOODIREKTOR: Es war die Rede davon, sie bei Ihnen unterzubringen.

GALERIEDIREKTOR: Bei mir?

ZOODIREKTOR: Ja.

GALERIEDIREKTOR: Hier? *Mit einer Handbewegung gegen das halboffene Fenster und den ansteigenden französischen Garten.*

ZOODIREKTOR: Zwischen dem oberen und unteren Schloß, ganz recht.

GALERIEDIREKTOR: Wieviele?

ZOODIREKTOR: Die ganze Herde, etwa dreihundert Stück.

GALERIEDIREKTOR: Das muß vor meiner Zeit gewesen sein.

ZOODIREKTOR: Es war vor meiner Zeit, aber zu Beginn der Ihren. Sie verhandelten mit meinem Vorgänger.

GALERIEDIREKTOR *schüttelt den Kopf.*

ZOODIREKTOR: Der Zoo war schon damals zu klein. Inzwischen hat sich die Herde vergrößert.

GALERIEDIREKTOR: Ich erinnere mich beim besten Willen nicht.

ZOODIREKTOR *dringend*: Es scheiterte damals daran, daß man die Herde durch den Klostergarten, der links anschließt, nicht eintreiben konnte, während der Besitzer der Gärten rechts – sie waren damals in privatem Besitz – ebenfalls seine Erlaubnis verweigerte. Inzwischen sind diese Gärten in öffentlichen Besitz übergegangen.

GALERIEDIREKTOR: Vor kurzem.

ZOODIREKTOR: Ja. Und die Gemeinde[2] würde keine Schwierigkeiten machen, dem Zoo zu helfen.

GALERIEDIREKTOR: Das glaube ich selbst.

ZOODIREKTOR: Die Herde kann übrigens mit größter Schonung dieser Gärten hier hineingetrieben werden. Geübte Treiber gibt es genug.

GALERIEDIREKTOR: Und hier?

ZOODIREKTOR: Hier stünde sie Kopf an Kopf. Aber sie hätte Platz, auch heute noch!

GALERIEDIREKTOR: Aber –

ZOODIREKTOR: Wenn man sich nur entschlösse, aus einigen der flachen steinernen Becken das Wasser abzulassen, vielleicht aus allen –

GALERIEDIREKTOR: Aus allen?

ZOODIREKTOR: Und die Tiere hineinzutreiben. Ich glaube, daß die Beckenränder nicht zu hoch sind.

GALERIEDIREKTOR: Mir ist die Gangart[3] weißer Stiere nicht gegenwärtig.

ZOODIREKTOR: Sie sind überraschend beweglich. Zugleich von großer Ruhe.

GALERIEDIREKTOR: So.

ZOODIREKTOR: Fürchten Sie deshalb nicht für Ihren Blick! Er wird weiter durch das halboffene Fenster schweifen. Er wird über die weißen Schädel und die weißen Hörner hingehen wie über Morgendunst und Wasserglanz, je nach der Zeit. Sie werden nichts vermissen. Den ganzen Tag nicht!

GALERIEDIREKTOR: Und wenn ich Kies zu sehen wünsche, frischen Rasen?

ZOODIREKTOR: Sie werden es nicht wünschen, wenn Sie den Anblick der weißen Herde haben.

GALERIEDIREKTOR: Es geht auch nicht um meine Wünsche.

ZOODIREKTOR: Es ist freilich Ihre Sorge, die Tiere weiß zu erhalten.

GALERIEDIREKTOR: Meine Sorge sind die Galeriebesucher.

ZOODIREKTOR: Solange die Herde weiß ist –

GALERIEDIREKTOR: Ob die Herde weiß oder schwarz ist: was, frage ich mich, sollen die Leute tun, die von den Gemälden im oberen Schloß zu den Plastiken[4] im unteren wollen; die die Ruhe des Sonntagvormittags, den Kies unter den Füßen brauchen, um von einem zum andern hinüberzuwechseln?

ZOODIREKTOR: Sie sollen auf der Straße gehen.

GALERIEDIREKTOR: Es ist ein Umweg. Und ich sagte auch eben –

ZOODIREKTOR: Die Frage ist auch deshalb nicht wichtig, weil das untere Schloß ohnehin nicht den Plastiken vorbehalten bleibt.

GALERIEDIREKTOR: Nicht den Plastiken?

ZOODIREKTOR: Oder doch nur bis zum ersten Regen, bis zum ersten Aufkommen eines feuchten Windes. Solange, bis es nötig ist, die Tiere einzutreiben.

GALERIEDIREKTOR: Einzutreiben?

ZOODIREKTOR: Um die Felle weiß zu erhalten, es ist in Ihrem Sinn. Wenn Sie deshalb beim ersten Regenzeichen, schon bei gewissen Wolkenbildungen bestimmen würden, daß –

GALERIEDIREKTOR: Aber die Plastiken!

ZOODIREKTOR: Die Galerien für Plastik sind, wie Sie besser als ich wissen, in den ehemaligen Stallungen[5] untergebracht. Fast alles, was heute das untere Schloß genannt wird –

GALERIEDIREKTOR: Nicht meine Räume.

ZOODIREKTOR: Ihre Räume würden nicht berührt. Ihre Ruhe muß gewahrt werden. Schon für die Tiere. Es ist wichtig, daß sie Ruhe über sich fühlen. Daß ihre Gelassenheit erwidert wird, aus zwei Fenstern wenigstens. Und wenn die Galerien für Plastik nicht genügen sollten, so bleibt immer noch das obere Schloß. Sollte sich die Herde bei Ihnen hier vermehren –

GALERIEDIREKTOR: Ich wußte, daß Sie nichts anderes im Sinn hatten!

ZOODIREKTOR: Ihr Bestes und das Beste der Besucher. Es wäre auch nur im Notfall.

GALERIEDIREKTOR: Der sicher eintritt. Es ist – soviel ich sehe – alles auf diesen Notfall angelegt. Was, frage ich mich, sollen die Tiere hier anderes, als sich vermehren?

ZOODIREKTOR: Scharren, stampfen, in der ihnen gemäßen Umgebung glänzen!

GALERIEDIREKTOR: Meiner geringen Erfahrung nach –

ZOODIREKTOR: Vertrauen Sie mir!

GALERIEDIREKTOR *mit Bestimmtheit*: Es wird ihnen nicht genügen.

ZOODIREKTOR: Es sind weiße Stiere. Und bei hellem Sonnenschein –

GALERIEDIREKTOR: Kaum bei hellem Sonnenschein, und noch weniger beim Aufkommen eines feuchten Windes, bei den ersten unbestimmten Wolkenzeichen!

ZOODIREKTOR: Sie sind rotäugig.

GALERIEDIREKTOR: Was soll das hindern? Und in dieser Gedrängtheit?

ZOODIREKTOR: Das bleibt abzuwarten.

GALRIEDIREKTOR: Für mich, nicht für Sie.

ZOODIREKTOR: Ich bin der festen Überzeugung –

GALERIEDIREKTOR: Wer soll die Tiere füttern?

ZOODIREKTOR: Der Zoo wird gemeinsam mit der Gemeinde in der allerersten Zeit einen Teil der Sorge für die Tiere übernehmen.

GALERIEDIREKTOR: Aber die Bewohner der umliegenden Häuser, die ihre Wohnungen nur wegen des Blicks über die Gärten gemietet haben?

ZOODIREKTOR: Sie werden beim ersten Anblick der weißen Herde wissen, was sie bisher vermißten. Was ihnen – seit Jahren vielleicht schon – die Gärten leer erscheinen ließ, die frühen Vogelrufe hinterhältig[6], die Kieswege ohne Glanz. Sie werden bei leichter Bewegung der Herde wieder spüren, was ihnen schon lange verborgen war, wieder merken, woher der Wind weht.

GALERIEDIREKTOR: Der Mistgeruch –

ZOODIREKTOR: Spielt auch mit.

GALERIEDIREKTOR: Wer wird den Mist abführen?

ZOODIREKTOR: Ich sagte schon, daß in der ersten Zeit der Zoo die Sorge um die Tiere mittragen wird. Für später machen Sie sich keine Sorgen. Wenn erst die Hüter und Treiber in den umliegenden Straßen wohnen, kann der Mist auch ruhig –

GALERIEDIREKTOR: Die Hüter und Treiber?

ZOODIREKTOR: Die von Ihnen bestimmten natürlich.

GAELRIEDIREKTOR: Von mir?

ZOODIREKTOR: Sofern die Inwohner der umliegenden Straßenzüge bereit und fähig wären, diese Ämter zu übernehmen, könnten sie auch darin wohnen bleiben.

GALERIEDIREKTOR: Es wird sie trösten.

ZOODIREKTOR: Sicher. Während Sie selbst die Oberaufsicht –

GALERIEDIREKTOR: Das dachte ich.

ZOODIREKTOR: Sie sind ihnen vertraut. Ihre Bemühung um die Schätze der Galerien ist bekannt. Wenn Sie nun statt dessen Ihre Bemühung der Herde zuwenden –

GALERIEDIREKTOR: Statt dessen?

ZOODIREKTOR: Man wird es hinnehmen. Und nicht nur hinnehmen. Man wird den weißen Stieren –

GALERIEDIREKTOR: Und Kühen.

ZOODIREKTOR: Man wird der ganzen Herde den Wert zumessen, den man bisher den Plastiken und den Gemälden in den Galerien zumaß, gewissen Sonntagvormittagen, von denen man nicht wußte, ob es die Sonne oder der Schatten war, der spielte. Man wird den Schwung und die Schattierung der Hörner vergleichen, und in den geräumten Galerien nach den Jungen sehen.

GALERIEDIREKTOR: Ich frage mich, weshalb das alles nicht im Zoo geschehen soll.

ZOODIREKTOR: Aus Gründen, die ich sagte. Und noch eins!

GALERIEDIREKTOR: Die Galerien wären gerne bereit, aus dem Erlös der einen oder andern kostbaren Plastik einen Beitrag zu seiner Erweiterung –

ZOODIREKTOR: Das ist unmöglich. Sonst säße ich nicht hier.

GALERIEDIREKTOR: Aber weshalb?

ZOODIREKTOR: Sie wissen, daß gerade Stiere auf gewisse Farben –

GALERIEDIREKTOR: Wo gibt es rot im Zoo?

ZOODIREKTOR: Es sind ägyptische Stiere. Rotäugige!

GALERIEDIREKTOR: Was soll das ändern?

ZOODIREKTOR: Sie werden zornig angesichts der andern Farbe.

GALERIEDIREKTOR: Der andern Farbe?

ZOODIREKTOR: Sie sind empfindlich für grün. Und während hier das Grün der Hecken schnell abgefressen, das Grün der Rasenflächen schnell zerstampft –

GALERIEDIREKTOR: Und das der Dächer?

ZOODIREKTOR: Leicht von der einen oder andern Farbe übermalt wird, ist es im Zoo der übrigen Tiere wegen nötig, Grün begrenzt zu erhalten.

GALERIEDIREKTOR: Und wie sollen die Dächer hier übermalt werden?

ZOODIREKTOR: Das überlasse ich Ihnen. Ihr langjähriger Umgang mit Bildern, Ihre Freude an Schattierungen –

GALERIEDIREKTOR: Ich weiß.

ZOODIREKTOR *erhebt sich*: Es läutet Mittag.

GALERIEDIREKTOR: Und das Grün der Glockentürme, der angrenzenden Gärten, der Häuserdächer?

ZOODIREKTOR: Ich überlasse alles Ihnen. Was den öffentlichen westlichen Garten betrifft, so wird er bald als Futterplatz für die Stiere herangezogen werden. Und der Klostergarten im Osten –

GALERIEDIREKTOR: Darüber habe ich keine Befugnisse.[7]

ZOODIREKTOR: Das ergibt sich. Im übrigen wird es gut sein, das Geläute der Klosterglocken einzustellen. Und nicht nur der Klosterglocken, sondern alles Läuten, jeden glockenähnlichen Klang im weiten Umkreis.

GALERIEDIREKTOR: Das reicht weit.

ZOODIREKTOR: Die Herde hat ihre eigenen Glocken, alle andern könnten sie verwirren.

GALERIEDIREKTOR: Dieser Garten wurde hier angelegt, weil man auch noch von den fernsten Türmen, von den Kirchen der Dörfer jenseits des Flusses, die nicht einmal mehr zur Stadt gehören –

ZOODIREKTOR: Die Herdenglocken werden alles ersetzen. In reichem Maß. Und man wird endlich wissen, woher der Klang kommt. Niemand anderer als Sie wird das den Pfarrern und Mesnern[8] auch noch der fernsten Dörfer erklären können.

GALERIEDIREKTOR: Sie wollen doch nicht sagen, daß ich –

ZOODIREKTOR: Niemand anderer als Sie wird ihnen besser sagen können: Ich bitte Sie, das Läuten sein zu lassen, der Stiere wegen. Es verwirrt sie.

GALERIEDIREKTOR: Ich glaube vielmehr, daß das Absteigende dieses Gartens die Herde, wenn sie von oben her eingetrieben wird, verwirren könnte, die menschenähnlichen Bosketten![9]

ZOODIREKTOR: Es gibt abschüssigere[10] Viehweiden und menschenähnlicheres Gebüsch.

GALERIEDIREKTOR: Um nochmals auf das Grün zurückzukommen, welche Farben sollen es ersetzen?

ZOODIREKTOR: Rot, schwarz, blau oder gelb, ich sagte schon –

GALERIEDIREKTOR: Meine Freude an Schattierungen!

ZOODIREKTOR: Und die Bewegung der Herde, nach der Sie sich zu richten haben.

GALERIEDIREKTOR: Wie soll ich –

ZOODIREKTOR: Wenn Sie die Tiere an den Sphinxen vorbei die breiten Wege hinunterdrängen sehen, wird Ihre Freude daran alles bewältigen.

GALERIEDIREKTOR: Ich frage mich, wie ich den Kindern, die bisher in diesem Garten spielten, begreiflich machen soll –

ZOODIREKTOR: Sie werden entzückt von den Stieren sein.

GALERIEDIREKTOR: Und ihre Großmütter?

ZOODIREKTOR: Sie werden das Entzücken ihrer Enkel teilen. Sie werden meinen, sich an längst Vergangenes zu erinnern, während den Enkelkindern die Erinnerung an die Zukunft aufsteigt. Niemand, der auch nur einen Blick auf diese weißen Rücken wirft, wird sich der Macht entziehen können, zu sehen, wonach er aus war, es endlich zu sehen; nicht Kieswege, Bosketten, Plastiken, Gemälde, Unausgesprochenes in einer Beleuchtung, die doch nicht hinreicht, nein: Weiße, breite Rücken in der Sonne, Köpfe, Hörner, die ganze Herde – Stiere!

GALERIEDIREKTOR: Wann soll es sein?

ZOODIREKTOR: Schon bald.

GALERIEDIREKTOR: Sie verständigen mich?

ZOODIREKTOR: Selbst wenn ich nicht mehr käme –

GALERIEDIREKTOR: So muß ich bald zu räumen beginnen.

ZOODIREKTOR: Sie sollen entschädigt werden.

GALERIEDIREKTOR: Mein Amt als Direktor dieser Galerien –

ZOODIREKTOR: Wird um die Verwaltung der umliegenden Straßenzüge, der Dächer und Türme, der angrenzenden Gärten erweitert.

GALERIEDIREKTOR: Das sind Übergänge.

ZOODIREKTOR: Die mich an Ihrer Stelle verlocken würden.

GALERIEDIREKTOR: Und zuletzt? Wenn alle Glocken verstummt und alle Gärten kahlgefressen sind, wenn auch das Grün von den umliegenden Türmen und Kuppeln verschwunden ist, wenn alle zum Treiben und Hüten Unwilligen ihre Häuser geräumt haben, und zwischen Steintreppen und ausgetrockneten Bassins, von der Sonne beschienen, die Stiere drängen? Wenn die leicht verschiebbaren Grenzen zwischen ihren Leibern die einzigen Grenzen sein werden, die von hier aus zu sehen noch möglich sind?

ZOODIREKTOR: Sollen die Fenster hier wie eben jetzt noch immer halb offen stehen.

GALERIEDIREKTOR: Und ich? Ich selbst? Wenn die Galerien oben und unten von Bildern und Plastiken geräumt sind, wenn ich nicht mehr abends meinen Hut nehmen und einen stillen Augenblick lang noch einmal die Schätze mustern kann?

ZOODIREKTOR: Es wird Ihnen, wie mir schon heute, dann nur mehr um das Weiß der Stiere gehen.

GALERIEDIREKTOR: Auch an den Abenden?

ZOODIREKTOR: Auch dann. Sie werden bis dahin vielleicht auch schon zum Teil erblindet sein. Alle, die das belebende Weiß der Herde Jahre hindurch betrachten, erblinden mit der Zeit.

GALERIEDIREKTOR: Ich werde erblinden?

ZOODIREKTOR *schon an der Tür*: Ja.

GALERIEDIREKTOR: Um noch ein letztes Mal von dem Grün zu reden: es gibt gewisse Augenblicke wie manchmal vor Gewittern, in denen der Himmel eine leichte grünliche Färbung annimmt. Und seltener auch abends, ich sprach davon.

ZOODIREKTOR: Es wäre ein großer Schrecken für die Herde, vielleicht ein Zeichen, alles im Umkreis zu stürmen.

GALERIEDIREKTOR: Aber wie –

ZOODIREKTOR: Sie werden es zu verhindern wissen!

GALERIEDIREKTOR: Ich glaube nicht, daß meine Freude an Schattierungen in einem solchen Fall –

ZOODIREKTOR *ist gegangen.*

GALERIEDIREKTOR: Mein langjähriger Umgang mit Gemälden – *tritt ans Fenster, schaut zum Himmel auf.* Werde grün!

Ein Kind ruft nach einem andern. Vögel zwitschern. Der Himmel ist blau, mit weißen Wolken darin.

ZU KEINER STUNDE

STUDENT *betritt den Dachboden, schließt hinter sich ab und geht auf den Bücherkorb hinter dem Holzpfeiler zu. Er beugt sich darüber und beginnt zu suchen.*

ZWERG: Immer fleißig?

STUDENT *zerstreut:* Ja. *Bemerkt jetzt erst den Zwerg, der in einer grünen hohen Mütze auf der Kiste steht und durch die Luke halb über die Stadt schaut:* Was suchen Sie hier?

ZWERG: Nichts. Ich schaue über die Stadt. Zur grünen Kuppel des Schlosses hinüber. *Deutet auf seine Mütze:* Ich ziehe Vergleiche zwischen grün und grün. Das nimmt kein Ende. Umsomehr als diese Gegend auch noch von Gärten überzogen ist.

STUDENT *über seinen Korb gebeugt, antwortet nicht.*

ZWERG: Immer zwischen drei und vier. Das gibt meinen Tagen Rhythmus. Das bringt mich zur Überzeugung, daß ich immer hier stehe. Und Sie?

STUDENT: Ich suche Skripten.

ZWERG: Auch immer zwischen drei und vier?

STUDENT: Wann ich sie brauche.

ZWERG: Und wann brauchen Sie sie?

STUDENT: Wenn ich sie unten nicht finde. Ich studiere Schiffsbau.

ZWERG: Um welche Zeit?

STUDENT: Immer.

ZWERG: Zu keiner Stunde?

STUDENT: Zu allen.

ZWERG: Schade. Wir träfen uns sonst öfter hier heroben.

STUDENT: Da käme ich nicht weit.

ZWERG: Wie weit wollen Sie kommen?

STUDENT: So weit als möglich. Auf ein Schiff.

ZWERG: Ich sehe hier öfter welche auf dem Fluß vorbeigleiten, wenn ich das Grün der Auen mit dem meiner Mütze vergleiche – ich könnte Sie empfehlen.

STUDENT: Ich muß erst fertig werden. Ich will auch weiter.

ZWERG: Ich vergleiche auch das Grün des Horizonts mit dem meiner Mütze. Ich hätte auch da Verbindungen.

STUDENT: Ich muß erst –

ZWERG: Sie haben heute eine Prüfung bestanden.

STUDENT: Ja. Woher wissen Sies?

ZWERG: Als ich das Grün der Patina, mit dem das Dach der Technik sich immer mehr zu überziehen beginnt, mit dem meiner Mütze verglich, bekamen Sie gerade Ihre Auszeichnung.

STUDENT: Es war die vorletzte Prüfung. Erst nach der letzten –

ZWERG: Wenn Sie sich dann an mich wenden wollen.

STUDENT: Ich habe schon verschiedene Aussichten.

ZWERG: Ich empfehle Sie gerne.

STUDENT: Zuerst fahre ich in meine Heimat. Dort werde ich heiraten. Und dann –

ZWERG: Ich bin immer zwischen drei und vier Uhr hier!

STUDENT: Ich habe Aussichten in Deutschland und Amerika. Die Frage ist nur –

ZWERG: Immer zwischen drei und vier.

STUDENT: Die Frage ist –

ZWERG: Und ich kann mich für Sie verwenden, wo immer es Schattierungen von Grün gibt. Die sind auf Schiffen auch nicht selten.

STUDENT: Auf neuen wohl.

ZWERG: Die See hat viel davon.

STUDENT: Ich werde nicht an der See bauen, sondern an Booten.

ZWERG: Die Flüsse!

STUDENT: Flußschiffe kommen nicht in Frage.

ZWERG: Ich möchte gerne alle meine Verbindungen zu Grün für Sie spielen lassen!

STUDENT *richtet sich auf und streift sein Haar zurück*: Hier ist mein Skriptum.

ZWERG: Sie haben keine Ahnung, wieviel es davon auf der Welt gibt, nicht nur das Grün der Dächer und der Gärten, auch das des Tangs, der Algen, des Meeresgrundes, ablesbar in Vergleichen –

STUDENT: Ich muß jetzt gehen!

ZWERG: Ich könnte es Ihnen beweisen, nur an meiner Mütze, an dem Turm der polnischen Kirche, an diesem Zwiebelturm, oder an dem Grün der Wipfel um das Waffenarsenal –

STUDENT *im Gehen:* Leider.

ZWERG: Wenn Sie nur hie und da zu mir heraufkämen –

STUDENT: Es ist mein letztes Semester.

ZWERG: Nur zwischen drei und vier –

STUDENT: Da habe ich meine Vorlesungen oder Laboratoriumsübungen. Und wenn ich frei habe, so muß ich mich zur letzten Prüfung vorbereiten und meinen Schiffsquerschnitt zu Ende zeichnen.

ZWERG: Oder am letzten Tag, am Tag nach Ihrer letzten Prüfung! Zwischen drei und vier.

STUDENT: Da packe ich meine Koffer.

ZWERG: Es wird ein dunstiger Tag sein, die Auen grau, die Zwiebel gelb, die Dächer schwarz. Sie haben überall Auszeichnung –

STUDENT: Gott soll es geben!

ZWERG: Von Ihren Freunden haben Sie schon Abschied genommen.

STUDENT: Dann fahre ich zur Bahn!

ZWERG: Es bleibt noch eine Stunde, eine gute Stunde. Sie erinnern sich, daß hier oben noch ein Korb mit Büchern steht. Vielleicht, daß Sie das eine oder andere noch brauchen könnten? Sie öffnen die Bodentüre. Sie gehen zum Bücherkorb, Sie beugen sich darüber und suchen, nein, Sie brauchen kein Buch mehr, alles liegt weit zurück. Sie richten sich auf.

STUDENT *ungeduldig, mit dem Skriptum in der Hand*: Und?

ZWERG: Sie sehen zur Dachluke herüber, Sie seufzen –

STUDENT *in der offenen Tür*: Seufzen werde ich nicht!

ZWERG: Ich versichere Sie! Sie seufzen. Und dann –

STUDENT: Ich gehe jetzt!

ZWERG: Dann empfehle ich Sie an das Grün der See.

Die Bodentür schlägt zu.

ZWERG *kichert und schaut weiter durch die Dachluke über die Stadt.*

ERSTES SEMESTER

STUDENTIN *sie ist nicht mehr ganz jung:* Ich wollte fragen, ob ich hier Unterkunft finde.

PFÖRTNERIN *die auch nicht mehr jung ist:* Unterkunft?

STUDENTIN: Es soll hier ein Heim für auswärtige Studentinnen sein.

PFÖRTNERIN: Unser Heim ist besetzt, das heißt –

STUDENTIN: Ich bringe auch eine pfarramtliche Empfehlung mit.

PFÖRTNERIN: Woher kommen Sie?

STUDENTIN: Zwei Bahnstunden nordöstlich. Der Name wird Ihnen nichts sagen. Aber unser Pfarrer –

PFÖRTNERIN: Wie lange wollen Sie bleiben?

STUDENTIN: Solange es eben geht.

PFÖRTNERIN: Solange es geht?

STUDENTIN: Ich wollte sagen: zwei oder drei Jahre. Nicht länger.

PFÖRTNERIN: Das Heim ist aufgelassen.

STUDENTIN: Aufgelassen? Sagten Sie nicht eben –

PFÖRTNERIN: Daß es besetzt sei?

STUDENTIN: Ja.

PFÖRTNERIN: Ganz recht. Es ist auch besetzt.

STUDENTIN: Das verstehe ich nicht. Es steht doch noch die Schrift über dem Eingang.

PFÖRTNERIN: Dazu sind wir verpflichtet.

STUDENTIN: Und im Telefonbuch unter ›Heim für auswärtige Studentinnen‹.

PFÖRTNERIN *die sich plötzlich steil aufrichtet:* Aufgelassen im vorläufigen Sinn des Wortes. Besetzt im immerwährenden.

STUDENTIN *nachdenklich mit gerunzelter Stirn:* Das heißt –

PFÖRTNERIN: Auch zu besetzen nur in diesem Sinn.

STUDENTIN *lebhaft:* Ich könnte also bleiben?

PFÖRTNERIN: Ja. Wie ich eben sagte –

STUDENTIN: Weiß mein Pfarrer von dieser Bedingung?

PFÖRTNERIN: Ich fürchte, in den Pfarreien zwei Bahnstunden nordöstlich – wollen Sie nicht eintreten?

STUDENTIN: Ich will erst wissen, was das heißt: für immer!

PFÖRTNERIN: Das läßt sich schwer bei offener Pforte erörtern.

STUDENTIN: Wahrscheinlich müßte ich für immer im ersten Semester bleiben?

PFÖRTNERIN: Zumindest in dem eben befindlichen.

STUDENTIN: Das wäre bei mir das erste. Auch in derselben Fakultät?

PFÖRTNERIN: In der einmal gewählten: ja.

STUDENTIN: Das ist dieselbe. *Nachdenklich:* Ich glaube nicht, daß mein Pfarrer – Ich habe jetzt auch kein Fahrgeld, um noch einmal heimzufahren und ihn zu fragen!

PFÖRTNERIN: Ich bin überzeugt, daß Ihr Herr Pfarrer –

STUDENTIN: Unser Pfarrer will, daß ich fertig studiere und eine Praxis in unserem Dorf eröffne.

PFÖRTNERIN: Ich will Sie zu nichts drängen, aber es beginnt jetzt zu regnen. Wenn Sie sich bald entscheiden würden –

STUDENTIN: Müßte ich nicht auch immer dieselben Vorlesungen hören?

PFÖRTNERIN: Das ergibt sich.

STUDENTIN: Ich meine, immer dieselbe?

PFÖRTNERIN: Sie wissen, daß vor Gott tausend Jahre wie ein Tag sind.

STUDENTIN *die sich ein Kopftuch umbindet, zögernd:* Ja.

PFÖRTNERIN: Nun, so viele Vorlesungen eben an diesem Tag gebräuchlich sind. Fünf oder sechs, einige unserer Insassinnen haben auch Seminarübungen.

STUDENTIN: Ich wahrscheinlich nicht. Im ersten Semester?

PFÖRTNERIN: Nein. Um so weniger als heute erst der zweite Tag ist. Aber es hat auch Vorteile. Sie werden viel im Freien sein. Am frühen Nachmittag werden Sie immer in dem kleinen Park nicht weit von hier spazierengehen.

STUDENTIN *schaut hinauf*: Immer unter demselben milchigen Himmel, in dem leichten Regen?

PFÖRTNERIN: Es gibt Leute, die gerade den leichten Regen lieben.

STUDENTIN: Freilich. Zu Hause, da bin ich immer –

PFÖRTNERIN: Und gegen Abend werden Sie von Ihrem Zimmer durch die erleuchteten Fenster gegenüber immer dieselben Kinder sehen, wie sie vom Nachmittagsunterricht heimkommen. Der Knabe wird sich ans Klavier setzen. Und das Mädchen wird immer –

STUDENTIN *träumerisch*: Dann wird es stärker zu regnen beginnen und dunkel werden. Ich öffne das Fenster. Und dieser leichte Rauchgeruch –

PFÖRTNERIN: Wird immer in der Luft sein.

STUDENTIN: Es regnet jetzt wirklich stärker.

PFÖRTNERIN: Wenn Sie weiterkommen wollen? Wir haben geheizt, auch im Flur!

STUDENTIN *ohne noch den Fuß hineinzusetzen:* Alles mit blauen Kacheln ausgelegt?

PFÖRTNERIN: Ja.

STUDENTIN: Es ist wirklich hübsch. Ich überlege nur, ob mein Pfarrer –

PFÖRTNERIN: In jedem Zimmer weiße Vorhänge!

STUDENTIN: Ob mein Pfarrer, wenn er sehen könnte, wie es hier ist –

PFÖRTNERIN: Und natürlich Zentralheizung, Blumen, eingebaute Schränke!

STUDENTIN: Er hat sich immer sehr um mein Wohlbefinden gesorgt.

PFÖRTNERIN: Darum müßte er sich dann nicht mehr sorgen.

STUDENTIN *nachdenklich:* Nein.

PFÖRTNERIN: Nun sehen Sie!

STUDENTIN: Ich überlege noch: wie ist es mit Weihnachten?

PFÖRTNERIN: Oh, es ist immer gleich nahe, ohne daß es freilich käme. Aber es begann ohnehin in den letzten Jahren – *lächelnd* – als wir noch nach Jahren zählten – immer mehr zu veräußerlichen.

STUDENTIN *für sich*: Es ist nahe.

PFÖRTNERIN: Ja. Immer dieser milchige Himmel, der die Schneewolken voraussagt. Aber es schneit nicht. Die Schaufenster sind alle noch nicht dekoriert, aber doch kurz davor.

STUDENTIN: Ich wollte zu Weihnachten nach Hause fahren.

PFÖRTNERIN: Danach hätten Sie kein Verlangen.

STUDENTIN: Kein Verlangen?

PFÖRTNERIN: Da Sie ja eben von zu Hause kommen. Dieser Tag hat auch den Vorzug, daß er vom Sommer noch nicht gar zu weit entfernt ist. Es ist sogar der Tag, an dem der Sommer sich so recht entfaltet. Sie haben noch die Heimat, Felder, Wiesen, Heu im Sinn – ohne daß sie Ihnen freilich den Sinn verstörten!

STUDENTIN: Bei uns sind wenig Felder. Aber es ist wahr: eben dachte ich daran.

PFÖRTNERIN: Alles ist nahe.

STUDENTIN: Ja.

PFÖRTNERIN: Was überlegen Sie noch?

STUDENTIN: Unser Pfarrer –

PFÖRTNERIN: Sie werden nie Gefahr laufen, ihn zu enttäuschen. Ihr Herr Pfarrer –

STUDENTIN: Ich werde immer diese blaue Mütze tragen? *Greift an ihren Kopf.*

PFÖRTNERIN: Das versteht sich. Und auf dem Spaziergang immer Kinder mit ähnlichen Mützen treffen!

STUDENTIN: Kinder, das ist gut!

PFÖRTNERIN: Nette Kinder, fröhliche Kinder! Lachend laufen sie an Ihnen vorbei, streifen mit ihren Taschen die Ihre und jauchzen im Halbdunkel.

STUDENTIN: O ja!

PFÖRTNERIN: Treten Sie ein!

STUDENTIN *zögernd, schon mit dem Fuß auf der Schwelle*: Sollte ich aber doch woanders wohnen wollen?

PFÖRTNERIN: Woanders? Ich nehme an, Sie haben keine Verwandten in der Stadt.

STUDENTIN: Sollte ich mich trotz allem nicht entschließen können?

PFÖRTNERIN: So wird der Regen, der jetzt noch auf Ihren Mantel fällt, sehr schnell in Schnee übergehen. Alles wird vom heutigen Tage ab in einer rasenden Geschwindigkeit abzulaufen beginnen: Weihnachten wird kommen und ebenso schnell vorbei sein, der Sommer wird kommen und keinen Augenblick bleiben!

STUDENTIN: Aber ich werde doch fertig studieren?

PFÖRTNERIN: Die zehn Semester werden schneller vorbei sein als ein Vormittag bei uns, als ein paar freundliche und nicht zu schwierige Eröffnungsvorlesungen, die Sie zu hören hätten.

STUDENTIN: Und ich werde die Praxis in meinem Heimatort übernehmen?

PFÖRTNERIN: Eher werden Sie erschöpft und schwach die Hände für immer sinken lassen, als Sie hier nur von Ihrem kleinen Spaziergang unter dem leichten Regen zurückkehren, um eine Tasse Tee zu trinken und Ihre Kleider zu trocknen.

STUDENTIN: Aber unser Pfarrer?

PFÖRTNERIN: Ihr Herr Pfarrer, von dem Sie hier immer nur zwei Bahnstunden entfernt wären –

STUDENTIN: Immer.

PFÖRTNERIN: Ihr Herr Pfarrer wird dann längst gestorben sein. Was überlegen Sie noch?

STUDENTIN: Ach, alles. *Sie zieht den Fuß zurück, die Tür des Heims für auswärtige Studentinnen schlägt zu, und es beginnt in großen, wässerigen Flocken zu schneien.*

REFERENCES

DER GEFESSELTE

1. "sah an sich hinab"	"looked down at himself" (the same phrase occurs also in "Der junge Leutnant")
2. "Steinnelken"	die Steinnelke, "woodpink" (Bot; wood or mountain variety of Caryophylacae)
3. "heuer"	used in Austria: "this year" (cf. 'heute')
4. "im Sprung geduckt"	"crouched ready to spring"
5. "Höhenzügen"	der Höhenzug: "range of hills"
6. "das gelichtete Laub"	meant here is a clearing in the forest/wood
7. "Auen"	die Aue (n): meadow (poetical)

DIE GEÖFFNETE ORDER

1. "Order"	an archaic or dialect form, with the meaning "order", "command"
2. "Schlägen"	der Schlag: (here) copse, clearing
3. "Grenzhaftigkeit"	read 'Grenzhaftigkeit' as 'Grenze' with the meaning: "limitation"
4. "fingiert"	"simulated", "feigned"
5. "Scharmützel"	das Scharmützel: "skirmish"

DAS PLAKAT

1. "aufgerissen"	"wide open"
2. "Werbung"	"publicity"
3. "Gischt"	der Gischt: "foam, spray"
4. "Feuermal"	(more commonly 'Muttermal'), das, "birth-mark"
5. "aufkommen"	here: "to be a match for", "prevail against"

ENGEL IN DER NACHT

1. "Scheitern"	das Scheit, "log": the standard plural is 'Scheite' and the form in 'er' is found mainly in Austria and Switzerland.
2. "höhnen"	occurs more commonly in the form 'verhöhnen': "mock", "scorn"

3. "Putten"	die Putte: "cherub"
4. "Durchhäusern"	das Durchhaus: "passage-way" (leading from one street to another, with houses on either side, a form of tunnel on ground level; use of this word is most common in Austria).
5. "Wer macht den Tag zum jüngsten?"	'der jüngste Tag': "The Last Judgment"

SPIEGELGESCHICHTE

1. "Kneipe"	"pub" (colloq)
2. "den blauen Hut"	Possible reference to uniform worn by children in orphanage (also occurs in "Erstes Semester")

MONDGESCHICHTE

1. "der Form Genüge getan"	"formalities would have been complied with"
2. "sicheres Geleit zu geben"	"to afford (grant) safe custody"
3. "daß es in den Fugen sang"	"that the rafters creaked"
4. "Und das Heer, nicht hinweg"	"And the whole constellation of stars were no comfort against that"
5. "Mondgrille"	"passing whim (fantasy)"
6. "-haftende Jugend"	"remnants of youth"
7. "die Abschußvorrichtung"	"the firing mechanism"

SEEGEISTER

1. "Schotter"	"small stones", "gravel" (here by shore of lake).
2. "persönliche Note"	"personal trait or characteristic".

REDE UNTER DEM GALGEN

1. "-wart"	abbreviated form of the usual imperative 'warte'
3. "Gaffen"	"gaping, staring"
2. "und macht sich billig"	"and spreads everywhere"
4. "sie langt mir nicht"	"it is nothing like enough for me"
5. "in der halben Nacht"	"halfway through the night" (a possible connection may be seen here with the words of the well-known German Christmas Carol of the 15th-16th Century: "Es ist ein Ros' entsprungen")

WO ICH WOHNE

1. "der Hausbesorger"	Austrian form of the more common 'der Hausmeister' ("caretaker", "concierge")
2. "unter der Woche"	unusual variation for "im Laufe der Woche" ("in the course of the week", "during the week")

DIE PUPPE

1. "laviert"	'lavieren'; "manage with difficulty"
2. "mir zu Haupten"	"above me" (literally)
3. "der heiligen Dorothee"	St. Dorothy. Martyred 313 AD. The legend relates that, on her way to execution, she was mocked by a young lawyer named Theophilus, who had jeeringly asked her to send him fruits from the garden she was going to. Upon her arrival at the place of execution an angel appeared before her bearing baskets of apples and roses; these she caused to be sent to Theophilus, who thereupon became converted and himself later also suffered martyrdom. Her feast day is 6th February. The legend is charmingly retold by Gottfried Keller as one of his "Sieben Legenden".
4. "ein heiliger Georg"	(an image or painting) of St. George (and the Dragon). See also : DER JUNGE LEUTNANT (p. 2)

DIE MAUS

1. "das Röhren"	cry of stag at rutting time (Engl: "bell"; cf. Modern German: "bellen", "bark")

NICHTS UND DAS BOOT

1. "Wägen"	South German variant of the more usual "Wagen".
2. "sich wirft"	"becomes warped", "distorted".
3. "die Remisen"	usually "coach-house", "shed"; here "tram depot". ('die Remise')

DER JUNGE LEUTNANT

1. "der Waffenrock"	"uniform"
2. "Adjustierung"	Austrian word for "Uniform"
3. "Litzen"	die Litze: "braid", "piping" (of different colours to indicate arm of service, etc.)

BELVEDERE

1. Title	Name of palace in Wien presented by the nation to Franz Eugen, Prince of Savoy (1663-1736) for his services to Austria. He was the real founder of the Austro-Hungarian Dual Monarchy; as ally of John Churchill, Duke of Marlborough defeated the French at Blenheim, Oudenarde and Malplaquet, having previously driven the Turks out of Austria. The Palace is in two parts, Upper and Lower, with a sloping garden between them.
2. "Gemeinde"	(here) "municipality"
3. "Gangart"	"gait"
4. "Plastiken"	'die Plastik',: "plastic art", "sculpture"
5. "Stallungen"	"stabling", "mews"
6. "hinterhältig"	"reserved", "malicious", "insidious"
7. "Befugnisse"	'die Befugnis': "authorization", "right", "powers"
8. "Mesnern"	'der Mesner': "sexton", "sacristan"
9. "Bosketten"	'das Boskett': "shrubbery", "thicket"
10. "abschüssig"	"precipitous", "steep"
11. "Bassins"	'das Bassin' (pl. die Bassins): "reservoir", "tank"

SELECT BIBLIOGRAPHY

TEXTS (N.B., All works in the following list except Nos. 6-8 appeared for the first time with S. Fischer Verlag, Frankfurt/M.).

1. DIE GRÖßERE HOFFNUNG	Novel		1948
2. KNÖPFE	Hörspiel	First broadcast	1953
		First published	1961
3. DER GEFESSELTE	10 Erzählungen (includes Nos. 1-8 in the present edition)		1954
4. ZU KEINER STUNDE	18 Dialoge (includes Nos. 16-18 of present edition)		1957
5. BESUCH IM PFARRHAUS	1 Hörspiel and 3 Dialoge		1961
6. DIE SILBERMÜNZE	Erzählung Written (First published in "Deutsche Erzähler der Gegenwart", Reclam, Stuttgart; 1959)		1956
7. NICHTS UND DAS BOOT	Erzählung Written (First published in "Moderne Erzähler" No. 11 Schöningh, Paderborn; 1959)		1951
8. DER JUNGE LEUTNANT	Erzählung Written (Published here for the first time)		1954
9. WO ICH WOHNE	Erzählungen, Dialoge, Gedichte (Fischer Doppelpunkt, No. 1)		1963

(This is a very convenient anthology of the works of Ilse Aichinger. It contains 17 of her Erzählungen, 8 Dialoge, 16 lyric poems and her Hörspiel. "Besuch im Pfarrhaus", and forms a most useful introduction to her work as a whole).

CRITICISM (N.B., all references are to first edition, unless otherwise stated)

1. Wolfgang KAYSER (ed) "Deutsche Literatur in unserer Zeit". Vandenhoeck & Rupprecht, Göttingen (as Nos. 73/74 of their 'Kleine Vandenhoeck Reihe'), Zweite Auflage, 1959.

   Collected reference on pp.145ff to Ilse Aichinger, Günter Eich & Ingeborg Bachmann.

2. Walter JENS: "Deutsche Literatur der Gegenwart", Piper Verlag, München, 1961.

   Brief but important references to Ilse Aichinger in the Zweite These (p. 78f) & Vierte These (p. 144ff).

3. Karl August HORST: "Kritische Führer durch die deutsche Literatur der Gegenwart". Nymphenburger Verlagshandlung, München, 1962.

   References to Ilse Aichinger mainly in Ch. II (Roman der Gegenwart) & Ch. III (Lyrik der Gegenwart).

4. Klaus NONNENMANN: "Schriftsteller der Gegenwart—Deutsche Literatur". Walter Verlag, Olten und Freiburg/Breisgau, 1963.

   Alphabetical entries. That on Ilse Aichinger is most valuable.

5. Franz LENNARTZ: "Deutsche Dichter und Schriftsteller unserer Zeit", Achte, erweiterte Auflage, Kröner Verlag, Stuttgart, 1959.

   Short but good article on Ilse Aichinger.

6. Ruth LORBE: "Die deutsche Kurzgeschichte der Jahrhundertmitte". *Der Deutschunterricht*, Jahrg. 9, Heft. 1 1957. Klett Verlag, Stuttgart.

   This article contains a most interesting interpretation of "Rede unter dem Galgen"